再生

逆境からのスタートと不祥事勃発――
それでも私が
リミックスポイントの
社長であり続ける理由

株式会社
リミックスポイント
代表取締役社長ＣＥＯ
小田玄紀
ODA GENKI

GENTOSHA
幻冬舎MC

再生

逆境からのスタートと
不祥事勃発——

それでも私がリミックスポイントの
社長であり続ける理由

はじめに

そのままにしておいたら衰え消滅してしまう状態のものを、活気づけて生まれ変わったかのような状態へと再生させるのは、容易なことではありません。長い時間と粘り強い根気に加えて、現状を正しく把握しながら改善していく前向きな姿勢が必要不可欠です。

会社経営もまさにその一つです。万年赤字の絶望状態から、右肩上がりの健全な黒字経営へと息を吹き返すには、並々ならぬ忍耐と苦労を覚悟しなければいけません。

私は「再チャレンジができて当たり前の世の中にしたい」という想いに端を発し、これまでいくつもの「崖っぷち企業」の支援に携わり、事業再生というミッションに立ち向かってきました。

そのなかで、リミックスポイントという、中古車査定システム開発を手掛ける、当時東証マザーズに上場していた企業と出会いました。業績は決して順調と呼べるものではなく、株価も低空飛行だった同社に、社外取締役として参画し、事業再生に向けた舵取りをスタートさせることとなったのです。

その過程は決して楽ではありませんでした。しかし、事業を選別し、新規事業にチャレンジするなかでリミックスポイントの将来に光を見いだした私は、2016年、代表取締役社長に就任いたしました。

熱意ある社員たちの頑張りのおかげで、リミックスポイントは時間をかけながらも着実に息を吹き返し、私が参画した当時は4億円ほどだった時価総額が、2018年には1000億円にまで成長しました。見事に再生を成し遂げたのです。


ところが、順風満帆かに思えた矢先、主力である仮想通貨交換業*を運営していた子会社ビットポイントジャパンにて、30億円を超える不正流出が発生、グループ全体の信用を大きく失う不祥事を招いてしまいました。

責任を重く受け止め、お客さまへの迅速な払戻し対応はもちろんのこと、仮想通貨交換業からの撤退についても一時検討し、会社のこれからのこと、そして私の進退についても、

*2020年に改正された資金決済法に伴い、仮想通貨の名称が暗号資産に変更されましたが、本書では2019年不正流出当時の表記として仮想通貨の名称を使用しております。

深く考える事態となりました。

しかし一方で、ここで引き下がってしまっては、事業再生を始めた当初の「再チャレンジができて当たり前の世の中にしたい」という想いに反するとも感じました。社内で綿密に協議した結果、仮想通貨交換業の事業継続を決断、私も引き続き代表取締役として責任ある立場で指揮をとり、グループの信頼回復のために尽力すると決意したのです。

そしてこれを書いている現在も、「再びの再生」を誓い、私と、リミックスポイントは、現状を正しく見極めながら、常に新しいものを生み出す前向きな意識とともに、前進していく途上にいます。

その覚悟と意志を表明するとともに、私と私の会社の過去・現在・未来を伝えるのが、本書の目的です。

まず、リミックスポイントの最初の再生までの道のりを振り返り、事業再生のポイントとなる事業の選別をどう進めたのか、企業価値をいかにして高めたのかを紹介します。

そして、最初の再生のあとに勃発した仮想通貨不正流出事件について、いったい何が起こり、私たちはどのような対処を心掛け、結果としてどのような教訓と反省を得たのかについて語ります。

さらには、現在「再びの再生」を進めているリミックスポイントが展開している事業についての現在地と将来の方向性を示します。「リミックスポイントって何をやっている会社なの？」という質問を、私もよく受けるのですが、その答えをここに詰め込んだ次第です。

そして、本書のまとめとして、「逃げない経営」を続け、「頑張る人が報われる」社会の実現を目指す、私の理念についても知っていただきたく思います。

先行き不透明な現代社会において、どのような理念とビジョンを抱き、具体的にどういった行動指標をもって前進していくのが望ましいのか。そのヒントがちりばめられた一冊となっています。皆さまにとっての人生選択や価値観形成、さらには成長や再生の一助となれば幸いです。

２０２１年５月

株式会社リミックスポイント　代表取締役社長ＣＥＯ

小田玄紀

目次

第2章

たった6年で目標達成！
事業を再生させたのは日本一社長っぽくない社長だった

第3章

人生最大の不祥事、仮想通貨流出事件が勃発

冷静に対処しながらも苦悩と葛藤は続く

第4章

選んだ道を正解にしろ

再生に必要なのは「型」にとらわれない経営

第5章

いかなる逆境・変革の嵐でも
逃げずに挑戦することでしか見えない世界がある

第1章

逆境からのスタート
目標に掲げたのは時価総額1000億円

社員4人、時価総額4億円の上場企業

社外取締役として参画

「ちょっと協力してくれませんか」

事業再生に取り組んでいた私のところへ、リミックスポイントの創業者だった吉川　登氏から、企業価値を高める支援がオファーされました。それがきっかけで、私がリミックスポイントと関わることになったのは、2012年のことでした。吉川氏とは経営者交流会で知り合って以来の関係で、私が事業再生でいくつか成果を出している噂を聞きつけての要請でした。

私にとって、上場企業の事業再生に取り組むのは初めてのことであり、いろいろ勉強できることがあると思い、支援アドバイスをするというよりは、私と企業双方の価値を高める目的で、社外取締役としてリミックスポイントに参画することとなりました。

当時の本社は東京の水天宮前駅から徒歩2分ほどの、30坪くらいの広さのビルに入っていました。社員はたった4人です。年間売上は1億円を少し上回る程度で、時価総額はお

よそ4億円でした。

上場企業としてこの規模はどうなのかという疑問は置いておくとして、いくつものベンチャー企業の立ち上げに関わってきた身としては、猫の額くらいのオフィスやオンボロの雑居ビルからスタートし、のし上がっていった企業をいくつも知っているので、業績面で先行きに不安を抱くことはありませんでした。むしろ上場企業として経理や総務の体制が最低限整っていて、思っていたよりも可能性を感じたのが、参画当初の正直な気持ちです。

大口契約が切れ正真正銘の「崖っぷち企業」に

当時のリミックスポイントが携わっていた事業は、中古車査定システムの開発で、主要取引先は中古車買取業者でした。

中古車の買取は車種と走行距離で価格を査定するのが一般的ですが、事故車の場合は価値が大きく損なわれます。リミックスポイントが当時開発していた中古車査定システムは、この事故車を査定経験が浅い人でも見抜くことができ、そこから買取価格を提示できるというシステムでした。

正直、このビジネス形態が今後伸びていくような見込みはいっさい感じられない状況でした。しかも取引先との縁が切れてしまえば売上がゼロになってしまう、首の皮一枚つながっているだけのような経営状況です。

株価も低空飛行を続けていて、問題がある上場企業の一つとして認知されていました。中身のない「ハコ企業」、「吹けば飛ぶような会社」、「瀕死企業」などと揶揄されることも多々あり、社外取締役の任に就く際は周りの人に「あそこはやめておいたほうがいい」と止められるほどでした。

確かに業績だけを眺めると厳しい面ばかり目立ちますが、働いている方々は非常に真面目で熱心で、そこにも可能性の一端を感じることができていました。

一般的な事業再生の手法をシンプルにいえば、芳しくない事業からは撤退し、見通しの明るい事業をさらに伸ばしていくことで、企業価値を高めていくという方針です。しかしリミックスポイントは、芳しくない事業しかやっていない経営状況ですから、この方針をすぐさまあてがうことができず、どのようにして企業価値を高めていこうか、しばらく模索の日々が続きました。

参画して1年目は、社外取締役として月1回の取締役会に参加する程度だったのですが、その1年目の終わりに、大口の取引先との契約を切られることが決まってしまいました。これは売上見込みの98％がなくなってしまうことを意味しています。

まさに「崖っぷち」に立っており、このままではいよいよ本当の意味での「からっぽ」へとまっしぐらです。社員や幹部は皆途方に暮れている様子でしたが、私だけが「ここからがリミックスポイントの、本当の再生の始まりだ」と気勢を上げていました。

このときを境に、月1回程度だった付き合いから、週3から5回、水天宮前のオフィスへ通うようになり、私は本格的にリミックスポイントの再生計画へ切り込んでいくこととなったのです。

「崖っぷち企業」こそ事業再生にうってつけ!?

事業リセット

大口の取引先との契約が切れてしまい、売上の見通しが立たなくなったリミックスポイントですが、私はまったくこれを痛手とは思いませんでした。むしろ好機と見ていました。これまで柱としていた事業の売上がなくなってしまうのですから、従来のやり方に執着する必要はありません。リミックスポイントは、ゼロの状態に回帰し、自由な発想で新しいことを構築する、次のフェーズに入ったという前向きなとらえ方もできるわけです。

事業再生だけでなく起業家支援にも携わってきた経験があるので、新規事業を立ち上げることには抵抗も不安もありませんでした。

問題は「どんな事業に飛び込むか」です。

当時は東日本大震災の直後にあたり、エネルギー問題が叫ばれていた時期でした。福島第一原子力発電所で事故が発生し、周辺地域に甚大な被害をもたらしたのは記憶に新しく、多くの人に深い衝撃を与えました。また、地震の影響で石油やガソリンの供給が滞ってしまい、深刻なエネルギー不足に悩まされることにもなりました。

この出来事をきっかけに日本のエネルギー政策は大きな転換期を迎え、太陽光やバイオマスといった再生可能エネルギーの導入促進や、省エネルギー施策へより力を入れるようになったのです。この新しい流れにより、自然に配慮したエネルギーを活用し、節電を中心とした省エネルギーにも積極的な企業が優遇され、より信頼できる企業と呼ばれるようになりました。

そのような背景から、「これからの時代で持続性と将来性に富んだビジネスはエネルギー関連だ」という結論にたどり着き、さっそく事業展開していくプランを立てていきました。

たまたま、省エネコンサルティングをしていた会社のメンバーから、「うちの会社の経営が悪化して困っている」という話を聞き、「それなら一緒にやりましょう」と提案し、省エネ商材を取り扱える仲間が一気に20人ほど加わりました。売上がほぼゼロのリミックスポイントの人員は、一気に4倍以上にボリュームアップしたのです。

「からっぽ」だからこその強み

リミックスポイントは満を持しての再スタートを切ったわけですが、その道は決して楽なものではありませんでした。

上場こそしていたものの、財務基盤は脆弱で、おまけに「からっぽ」とも揶揄されていました。受注が取れて喜んだのも束の間、受注先から与信情報で弾かれてキャンセルをくらってしまうこともありました。

ただ、社員たちは非常に熱心で、会社の再生に率先して取り組んでくれました。省エネ商材に関する新しい情報と知識を積極的にインプットし、省エネ補助金に関しても真面目に勉強していたので、取引先を納得・満足させるだけの真摯な対応ができているという、確固たる自信をもつことができました。売上をどのようにしてつくり、利益をどうやって築き上げていくかに対しても、とてもアグレッシブでした。

そんななかで、あるとき社員から「小田さん、うちで電気も売りませんか?」という提案がありました。当時、法改正によって自由化された電力の小売事業に、当社も名を連ねようというのです。

提案を聞いた当初は「電力を売るってどういうこと?」とまったく知識がなくピンときていなかったのですが、調べれば調べるほど電力市場は奥が深く、電力小売事業の将来性に大きな魅力を感じるようになりました。何より、当社が展開する省エネ事業との相性が抜群だと感じました。

「よし、やってみよう」

社員たちの「電力の小売をやってみたい」という熱意も感じ、ほぼ即断で電力小売事業をスタートさせることとなりました。

この瞬間、新生リミックスポイントの経営スタイルの骨格が決まりました。ハコ企業とも揶揄されるくらいの、中身の薄い会社なのですから、むしろその身の軽さを武器に、社員の熱意の赴くまま、好きな事業へ飛び込んで展開していく、という自由な発想に基づいたスタイルです。

ちなみに、リミックスポイントの社名の由来は「常に新しいものを生み出す起点」でしたから、社名に込められた理念とも共鳴させることができました。

具体的な戦略としては、法令改正や規制緩和・改革が行われた領域・分野に対して、積極的に投資・事業開発をしていくことになります。電力自由化に伴う電力小売事業の規制改革が、リミックスポイントの方向性を決定づけてくれました。

電力自由化によって誕生した新しい市場は、大手だろうがベンチャーだろうが、すべての事業者がゼロからのスタートです。大手は資産が潤沢ですが既存のしがらみにとらわれてフットワークが重く、着手は迅速でも成長速度は緩やかです。一方でベンチャーはフットワークこそ軽いものの、資産に乏しいためやりくりに苦労します。

その点、リミックスポイントは上場企業でありながらベンチャーのような側面をもっています。当社の強みを十分に理解したうえで、スピーディーかつダイナミックに仕掛けていけば、生き残るチャンスがあるという見込みがありました。

そして結果的に、この方針は功を奏し、当社はフェニックスのごとき再生を遂げることになるのです。

時価総額100億円では面白くない。もっと大きな目標を！

完全スルーされた「2018年までに時価総額1000億円」

省エネ事業、そして電力小売事業と立て続けに新規事業をスタートさせた2013年頃の段階で、上場企業として一つの目標を掲げようと決めました。

漠然としたものではなく、明確で定量的な目標が適切でした。売上や利益などさまざまな指標が考えられましたが、やはりそこは上場企業ということで、時価総額で目標をつくることにしました。

2013年頃のリミックスポイントの時価総額はかなりの低水準で、4億円から10億円の間で低迷していた時期です。

当初は時価総額100億円にしようと思いましたが、上場企業としてはそれでも小規模であり、吹けば飛んでしまうような目標です。そこで、思いきって「5年後の2018年までに時価総額1000億円を目標にしよう！」と決めたのです。

この1000億円には一応の根拠がありました。当時リサーチをかけていた電力小売事業において、すでに参入しているところで1000億円規模のところがあったので、リミックスポイントも十分に到達できるというイメージを抱くことができたのです。

「見ててください、5年で時価総額1000億円にしますから」

と金融機関や取引先に対して言葉にしていたのですが、まったくといっていいほどの無反応でした。「頑張ってください」といった応援の声もなければ、「無理だと思いますよ」といった否定的意見もなく、むしろ「この人は何を言っているんだ?」と、まったく理解できないというような反応でした。

現状で時価総額10億円にも満たない、事業の基盤も整っていない、来期を無事に迎えることができるかどうかも怪しい会社が、企業価値を5年で100倍にすると宣言しているのですから、リアクションに困ってしまうのは無理もない話だったかもしれません。

そういった周りの反応とは逆行するように、リミックスポイントの電力小売事業は着実に伸びていきました。

２０１５年3月期には売上39・4億円、営業利益2・1億円という業績を達成することができました。これまでの売上がせいぜい2億円程度ですから、20倍近い成長です。新事業立ち上げ直後ながら利益もしっかり上げることができた点は大きな評価となりました。これまで投資家から見向きもされていなかったリミックスポイントは、株式市場でも注目されるようになり、順当に時価総額１００億円は通過することができました。

この頃も相変わらず「時価総額１０００億円達成」を言葉にしていたわけですが、周りの反応が目に見えて違ってきているのがわかりました。以前は歯牙にもかけないという反応だった相手から「それは現実的じゃない」というような言葉が返ってくるようになったのです。

これは私にとって非常にうれしい出来事でした。「それは現実的じゃない」と否定の言葉ではあるものの、これまでは肯定はもちろん否定すらされませんでした。否定されるというのは意識される第一歩です。ようやくリミックスポイントが再生のターニングポイントを迎え、一企業として認知されてきた証のように思えたからです。同時に、電力小売事業がまだまだたくさんの伸びしろをもっていることも確信できました。

新規事業参入で1000億円企業へ

その次の期も事業は増収増益を達成し、安定成長期に入ることができました。私自身にも転機があり、2016年12月、リミックスポイントの代表取締役社長に就任しました。このタイミングで今後のさらなる経営戦略を練る段階へと入りました。省エネと電力を皮切りとしたエネルギー関連事業を伸ばしていくか、それとも新しい軸を見いだすのか。すでに再生のフェーズはクリアすることができていましたから、時価総額1000億円へ向けて、いよいよ加速をつけるときがきたのです。

ここで現実的な観点として、エネルギー関連事業だけで2018年までに時価総額1000億円は到達不可能だと感じていました。電力小売事業は今後も地道に売上を伸ばせるものの、市場には次々と競合が参入し競争激化の一途でしたから、飛躍的な上昇は見込めないと分析していたのです。

そこで、リミックスポイント再生の足掛かりとなった、法令改正や規制緩和・改革が行われる市場分野に飛び込んでいくという原点に立ち返り、新しい事業へ踏み込んでいくことを決めました。

この際に着目したのがインバウンドと仮想通貨（暗号資産）です。

インバウンド、つまり訪日外国人観光客は近年著しく増加しています。２０１５年にインバウンド収入が3兆円を突破すると、２０１７年には早くも4兆円を超え、今後もインバウンド関連の市場は膨張一直線であることが明らかです。観光庁は２０３０年に15兆円規模にまで成長させる目標を立てています。

10兆円を超える産業というのはなかなかありません。インバウンド関連事業は、日本車の輸出総額を上回るほど、著しく成長する、絶対に目を離してはいけない分野ということです。

新型コロナウイルスの影響によって、観光庁の掲げたゴールは後ろに倒されたことにはなりますが、今後も国を挙げてインバウンドに力を入れていくことに違いはありません。

旅行業法の改正により規制緩和が行われたタイミングで、当社では子会社ジャービスを立ち上げました。現在は事業を縮小せざるを得ない状況ですが、新型コロナウイルスの脅威が終焉を迎えるとともに、旅行関連事業が当社の大きな頼もしい柱の一つとなっていくことでしょう。

他方で、仮想通貨交換事業は、結論をいえば「2018年に時価総額1000億円」目標達成の立役者となりました。仮想通貨の仕組みや特徴についての説明はここでは避けますが、円やドル、あるいは電子マネーといった法定通貨とは異なる性質をもつ仮想通貨は、2016年の資金決済法の改正により初めて法規制を受けることになり、2017年、仮想通貨交換業者の登録制が始まりました。要するに、国内ではグレーゾーンにあった仮想通貨取引が、一定の条件下で合法と認められたのです。

「リミックスポイントでも仮想通貨交換業を始めましょう」と役員会議で初めて提案した際は、周りもまだ仮想通貨の実態がつかめていない状況でしたので、反応はネガティブでした。しかしそのネガティブさとは、わからないからこそのものであり、きちんと仕組みやメリット、そして事業として行うことのリスクを説明し、当社でも十分に事業展開が可能であると説得しました。

こうして、2016年3月に、仮想通貨交換業者として子会社ビットポイントジャパンを設立、国内上場企業グループとしては初の仮想通貨取引所「ビットポイント」の運営を開始しました。

2017年後半にはビットコインブームが世間をにぎわせ、「億り人」という新ワードが誕生し、仮想通貨の知名度と価格も高まりました。ビットポイントの取引も活発化し、2018年3月期はリミックスポイントグループとして売上141・6億円、営業利益34・1億円という従来の事業だけでは考えられなかった業績を残すことができました。

株価は低迷時の250倍近くにまで上昇、当初の目標どおり、2018年に時価総額1000億円をクリアすることができたのです。

しかし、他社の運営する取引所で仮想通貨不正流出事件が発生し、仮想通貨市場は一気に沈静化、さらに2019年にはビットポイントでも仮想通貨不正流出が発生してしまいました。

企業価値をさらに高めていこうと、既存事業により力を入れつつ、新しい事業をつくる計画を立てていた矢先のことで、これにより株価はまた低迷することとなりますが、かつて私が事業再生の役割を担って参画した頃の低迷期を思えば、まだまだ挽回の余地はあります。

2012年から2018年までの駆け上がり方に、リミックスポイントの可能性は込められています。私自身、ほかでは体験したことのないほどの見事な再生ストーリーを描くことができました。

「とりあえずやってみよう」の精神

社長の仕事は「やりたいようにやれる環境」をつくること

当社の事業展開の仕方や、業務への取り組みは、他社と比べると少し変わっているかもしれません。

まず、社員がやりたいと思ったことを、自由にチャレンジしてもらうことを尊重しています。社長の私はほとんど口を出さず、命令もせず、彼らの提案に対してゴーサインを出してばかりいます。稟議の段階で落とすようなことはしません。「とりあえずやってみようか」と後押しします。

電力小売事業を始めたきっかけも、社員からの「電気を売ってみませんか」という提案からでした。それが今のリミックスポイントグループの売上の柱となっており、また経営方針においても基盤となっています。

それでは私は何をやっているのかといえば、アイデアの発起人である社員たちが、やりたいようにやれるような環境づくりを心掛けています。資金が必要であれば調達できるよう計画を立てますし、人材が必要であれば適切な人物を外部から引き込んでくることもあります。

仮想通貨交換事業スタートにあたっては、金融取引業務の知識・経験に長けている人が必要だと感じ、大手証券会社出身者に声を掛けて仲間に入ってもらいました。これは、当時仮想通貨事業参入に続々と名乗りを上げていた、インターネット系ベンチャー企業のなかでは、特殊な人事でした。しかし、この采配のおかげで取引所開設時から品質と信頼度の高いサービスを提供することが叶い、他社よりも迅速に経営を安定させることができました。事業に取り組んでいた社員たちにとっても、暗中模索にならず、専門家の見解に軸足を置き、計画とビジョンを明確にしながら進めることができたので、非常に業務を進めやすい環境になっていたと思います。

ノルマを課さないスーパーお任せプレイ

社員のやりたいようにやってもらう経営スタイルを貫く理由は、彼らが自分事として夢中になって取り組んでくれるからです。事業が成功するか否かは、事業の内容そのものよりも、関わる人たちの熱意にかかっている部分が大きいと感じるからこそ、この手法にこだわっています。

不正流出事件やコロナショックなど、未曾有の事態を乗り越える糧も、この熱意から得られるものだと思います。仕事を社員それぞれが自分事として落とし込めていない会社は、たとえ著しい発展を遂げていたとしても、時代の変革や思いもよらぬトラブルに遭遇するや否や、一気に萎んでしまいます。

夢中になれることであれば、誰にいわれるまでもなく積極的に進めていくことができるので、結果は自ずとついてきてくれます。

ですから、私からノルマを課すことはしません。各事業部の判断に任せています。彼らだけでは解決できない課題に直面し、事業にストップがかかってしまったとき、私だからこそできる支援をしています。一般的な会社ではあまり見られない業務体制かもしれませんが、これがリミックスポイントのやり方であり武器なのです。

これは私がかつて事業再生や事業支援のアドバイスをしていた時代から、変わらない手法です。

私は「社長」という肩書きのアドバイザーであり、各事業部にとって私は相談相手に過ぎません。このような同じ目線でのセッションができるからこそ、それぞれがモチベーションを高く維持したまま動くことができ、業績を上げていくことができているのだと感じています。

こういった観点からいえば、リミックスポイントは、「自分はこうしたい」というマインドが強い人ほど、働きやすく、結果の出しやすい会社だといえます。

社会が変化するから、会社も変わり続ける

リミックスポイントの実態

「リミックスポイントって、いろいろなことを手広くやっていて、実態がよくわからない会社だ」という話を聞きますが、それもそのはずで、ここまで紹介してきた経緯のとおり、当社は業種や分野にとらわれない、幅広い事業展開で勝負をかける企業です。

単に多方面へむやみやたらに手を出しているのではなく、法令改正や規制緩和・改革の施される刷新ジャンルへ参入するスタイルを貫き、社会の変容に応じて、臨機応変に中身を変えている会社ともいえます。もともと行っていた事業が立ちいかなくなり、再生に向けて白紙からのスタートとなった企業だからこそできる、フットワークの軽い事業展開といえるでしょう。

法令改正や規制緩和・改革が行われるのは、社会に変更の必要を迫られたからであり、世の中の需要が増えているからこそ、そこに事業的な勝機があると思っています。社会のお役に立てるうえに、事業としても加速が期待できるのですから、社会的意義とやりがい

の双方を担った理念が、リミックスポイントグループの土台として浸透していくのも、この事業展開スタイルのメリットです。

社員から「これをやってみましょう！」という新しい提案があるたび、新しい柱を立てていくことになるでしょうから、引き続き、「何をやっているのかよくわからない」という評判は変わらないかもしれません。

今後もリミックスポイントは、新しいものを生み出す起点となり、社会が抱える課題に、果敢にチャレンジしていく企業であり続けます。

目標達成後にいったん社長を退いた理由

社会の変化に応じて、事業の区分けも柔軟に変えていきます。

本稿を執筆している2021年4月現在は、新型コロナウイルスの感染予防の一策として海外からの人の流れを制限し、インバウンド活性化を一時的に弱めなければならない状況となっています。

この動きに応じて、事業の柱として力を入れていた旅行関連事業を、独立したセグメントから外しました。代わって、新型コロナウイルスが猛威を振るう前から着手していた感染症対策事業を、一つのセグメントとして立て力を入れていく方針としています。

このように、既存の事業に関しても、社会の動きに応じて強弱をつけることによってバランスをとり、社会のニーズに応えながら、会社の安定的な繁栄を目指しています。社会は常に動き続けています。これにしたがって、会社のあり方も、柔軟に変わっていくべきなのです。

2018年、時価総額1000億円を達成したタイミングで、私が社長をいったん退いたのも、そのような理由があってのことでした。リミックスポイントの将来を考えたとき、いつまでも私の考える枠で会社を経営していたら、いつか社会の動きとずれてしまうときがくるのではないか、そう感じての決断でした。

社長退任後も引き続き会長に就き会社の経営を支援しましたが、私が直接的に経営に関わる立場から離れると、スピード感やリスクマネジメントなどにおいて足りない部分が露呈するシーンも出てきました。業績が上昇傾向から反転したため、周囲からの要望もあり、再び社長職に戻っていますが、社会の動きに合わせて、いつでも社長の椅子をほかの人材に譲れるような態勢を築いていきたいと思っています。

いちばんの恐怖は「無風」

事業においても人事においても、リミックスポイントは新しい風を吹かせていきます。常に新しいジャンルへ飛び込んでいくスタイルだと、最初は厳しい向かい風にさらされます。しかし向かい風は、反対を向けば追い風です。最初はなかなか前に進めなくても、地面を踏みしめて必死に食らいついていけば、いつかは風を味方にでき、加速を感じながら走っていけるようになります。当社グループで営む電力小売事業や仮想通貨交換事業など、あらゆる事業が、最初は向かい風のなかでしたが、今では周りから加速の力を得て、順風満帆に成長させることが叶っています。

逆に、最も怖いのはいっさい風の吹いていない無風状態です。かつて「2018年までに時価総額1000億円」の目標をアピールしたとき、待ち受けていた反応は、誰からも相手にされないという無風状態でした。企業としてまったく価値がないと見られていると実感したときは、本当になんともいえない虚しい気持ちになりました。

しかし、新規事業が少しずつ軌道に乗るにつれ、周りが当社に目を向けてくれ、「1000億円なんて無理だよ」という向かい風が吹いてきたあたりから、私はリミックスポイントの明るい未来をより確信することができました。この感覚というのは、非常に大切なものだと思います。

組織内部についても、無風状態ほど危険なことはありません。ずっと同じ人間が意味もなく幹部に居座り続けていくと、会社はやがて腐敗し、再生できない状態にまで落ちぶれてしまうことは、過去のいくつもの事例が物語っています。定期的に風を入れて、組織の洗浄化を図ることが、企業を長く続けていく秘訣です。

ですから、いつでも社長の座を譲ってもいいように、引き続きリミックスポイントのあり方やマインドを浸透させていきます。そして常に組織内部に風を吹かせ、新しい風が吹いている分野に果敢に飛び込んで、社会の変化に応じて変わり続けていく会社づくりを徹底していきます。

第2章

たった6年で目標達成！

事業を再生させたのは日本一社長っぽくない社長だった

学生起業家として500人以上の経営・運営相談に乗る

本章では、リミックスポイントに関わることになるより以前の私の経歴を紹介するとともに、私なりに培ってきた経営の極意やマインド、人脈形成術などについて触れていきます。

口コミから始まったマーケティング事業

大学在籍時、何かの機会に学生団体の運営についてアドバイスをしたところ、成果が出て非常に感謝されたことがあり、「小田玄紀に相談したら悩みが解決する」という評判が口コミで広がり、気がつけば500人以上の企業や団体、サークルに携わる方の経営や運営相談に乗るようになり、自分からというよりは求められるかたちで起業することになりました。

ビジネスの中身としては、独自のネットワークを活用したマッチング、そしてそこから派生して結果的に商品開発・商品販促・採用支援などにつながっていくというものでした。例えば学生にスポットを当てた番組を組むメディアの依頼を受けて、企画から出演までを協力してくれる影響力をもった学生を探す手伝いをするとか、学生の意見を集めたい企業のために有望な学生団体を紹介し、学生団体はそれで報酬として活動資金がもらえるうえに広告活動にもなる、といったマッチングにいくつか関わりました。就活生と企業を結ぶ採用支援にも携わりました。

事業の内容は、最近の言葉でいうと、インフルエンサー・マーケティングに近いものだったと思います。もちろん当時はインフルエンサーなんて言葉は存在しませんし、ツイッターもなければミクシィもない時代の話です。私自身は当時、自分から営業活動をしたことはなく、本当に口コミだけで仕事が増え続け、起業家としてたいへん密度の濃い学生時代を過ごすことになりました。

対象を学生から社会人へ

このような交流から、学生起業家や学生団体、サークルなどに企業が支援を行う実績をたくさん残すことができました。学生の活動分野は環境問題、福祉問題、国際交流など多岐にわたります。それぞれのメンバーがやりたいこと、夢の実現のために、資金調達や人材紹介など私が得意としている範囲で支援し、一緒に果たすことが叶ったのです。

こうした経験が、私がこれまでに行ってきた事業支援や事業再生の根底にある、「頑張る人が報われる」ということを当たり前に思われるようにしたいという理念の、ベースとなってくれました。

学生マーケティングの事業は大学1年生から続け、ビジネスとして順調だったのですが、3年生のときに「このまま5年も10年もやっていけるだろうか」「今は自分が大学生だから彼らのことがわかるけれど、学生でなくなったら彼らの感覚を理解できなくなるのではないか」と感じるようになりました。そこで同じような事業をしていた知人に学生マーケティングの事業を譲渡し、その譲渡代金とこれまでに得た資金を元手に、起業家支援ビジネスをスタートさせました。

対象が学生組織から社会人組織に変わっただけで、やること自体はさほど変わりませんでした。これまで培ってきた知識や経験、将来性溢れる人や伸びていく事業を見抜く力は、大きな武器になると踏んでいました。学生時代から起業家の悩み相談を受けていたこともあり、起業家支援へシフトしていくことにはなんの抵抗感もありませんでした。

起業家支援時代の浮き沈み

ジョイントさせてもらう投資

これは昔も今も変わらないことですが、起業家支援の最終的な目標というのは「起業家と一緒に夢の実現を果たす」ことでした。その目標達成のためには、お金を調達し投資することはもちろん、「企業価値を高めるために自分が何をできるのか」を考えることを何より大切にしていました。

起業家から見て私の立場は投資家ですが、一般的な投資家以上の付加価値を与えられる存在を目指したかったのです。

私のような取り組みを行う投資家あるいは投資会社はいくつか存在し、その手法を「ハンズオン型投資」と名乗っていました。ただ私にはこの「ハンズオン」という言葉がなんだか偉そうで、個人的に非常に嫌でした。起業家と投資家は常に同じ目線、同じランクであり続けたいと思ったのです。

そこで、自分自身の投資手法を紹介するときは必ず「ジョイントイン型投資」という言葉を使っていました。人生を賭して事業に取り組む起業家とともに並走して成長していき、夢の実現にジョイントさせてもらう投資を行う、という意味を込めています。この投資への関わり方は、社長になった今も、揺るがずに根底に抱いている価値観です。

単なる投資家にとどまらず、ＣＦＯ（最高財務責任者）として経営を見届けたり、時にはマーケティングから採用まで担うこともありました。

ジョイントイン型投資で支援し、投資先の企業価値を上げることに成功し、私は投資家として順調に結果を出すことができていました。

私の評判を聞いて、投資会社からも相談が舞い込んでくるようにもなりました。私が「企業価値を上げるため、どんな取り組みをしているのですか」と尋ねると、投資会社から返ってくる答えは「毎月1回面談をしてアドバイスしている」とか「資金を提供している」といったものばかりでした。

これでは事業が成功するはずもありません。企業の抱える課題は、経営者からヒヤリングするものではなく、投資家自らが分析し、経営者に解決策とともに提示をするべきなのです。

投資家は、情熱や業界知識においては起業家には負けるかもしれませんが、多種の業界を俯瞰し、さまざまな企業の内情を見知っている分、課題の発見と解決策のセッティングにおいては一流であるはずです。起業家には見えていない死角を気づかせてあげることで、彼らが足をすくわれ立ち直れなくなってしまうのを防ぐ役目を果たすことができます。これができて初めて真っ当な投資であり、その投資によって事業が加速度的に伸びていきます。逆にこれらができないで、ひたすらお金だけを出す投資家など、起業家にとって必要なのかと疑問に感じます。

計2億円の詐欺被害に遭う

起業家支援と投資家としての道のりは、成功ばかりではありませんでした。20代の半ばに、合計で2億円以上の詐欺に遭ったことがあります。どんな詐欺に遭ったかというと、端的にいえば、投資したお金を持ち逃げされてしまいました。

事業の中身をチェックし、念入りな下調べも行ったのですが、かなり用意周到な手口で、まんまと騙されてしまいました。立て続けに被害に遭ったこともあり、また、一定以上の期間をかけて信頼関係を築いた相手から騙されたこともあり、さすがにこのときはメンタルをやられて、立ち直るのに1カ月くらい要しました。

これら数件の詐欺には3つの共通点がありました。もともとの友人または知人を介して紹介された投資案件だったこと、私に期待されているものがお金だけだったこと、そして「この話に乗っかると楽ができるな」と私自身が思ってしまったことです。

結局のところ、私の経験が浅かったのだなと自省しています。彼らを信じすべてを任せるという稚拙な判断が、このような被害を招いてしまったわけで、自業自得だったと戒めています。

弁護士や警察に相談してなんとか少しでも回収しようと動きもしましたが、無駄に終わってしまいました。そこで、失った分は今後の事業支援で取り返そうという発想に切り替え、勉強代であったと割り切り、前を向くよう心掛けました。

改めて感じることとしては、やはり純投資の案件はうまくいかないのだということです。ジョイントインを強く意識し、他人に任せるのではなく、自分で判断し、積極的に関わっていく姿勢が大切だと再認識しました。

これまで投資を通じて資産を形成したこともあれば、事業を通して資産を形成したこともありますが、どちらも、自ら価値の向上に関わることで、初めて大きな成果が得られています。これこそが資産形成の真理だということなのでしょう。

学生時代から培っている経営の極意

可能性は、事業そのものではなく、事業を行う人にある

学生マーケティング事業や起業家支援、そして事業投資を通して学んだ経営の極意は、「事業が成功するか失敗するかの鍵を握るのは、事業に関わる人にある」という事実です。支援や投資をしていくうえで、事業の業種や分野は気にしませんでした。完全にその人の将来性や可能性だけを見ていて、「自分の価値を提供すればより事業は加速しうまくいく」という判断基準で関わっていきました。

学生時代からたくさんの人に会い、数々の成功と失敗を経験した結論がこれでした。同じ事業内容であっても、誰がやるのかで成果はまったく違ってきます。

結局のところ、事業は動かされるものであり、動くのは人なのですから、当然の理屈なわけです。

私のところへ持ち込まれる事業相談には「これからはこの事業が伸びるから、ぜひ投資してくれ」というものもありました。こういった相談を持ち掛けてくる人というのは、こ

れから伸びる事業に対する嗅覚は抜群に備わっているのですが、事業に対する思い入れや情熱は薄い傾向にあります。お金をきっかけにすることでしか動けない人なので、事業を盛り立てていくまでに必ず経験するであろう苦しみや金欠の圧力に負け、早々に諦めて撤退しがちです。これでは伸ばせる事業も伸びないのです。

自分との相性、というのも大事なのでしょう。「この人は私と組めばうまくいくな」と感じた人もいれば、「私以外の人と組んだほうがいいな」と思う人もいます。「事業は面白そうだが、取り組む人と私の相性はあまり良くないな」という感覚で関わった事業は、これまでほとんどいい結果が残せませんでした。ですから事業内容そのものよりは、まず相手を見ることのほうがとても重要です。今も新しい事業を進めるときは、事業内容ではなく関わる人たちを見て、可能性を探っています。

お金は寂しがり屋

経営において、お金の知識ややりくりする能力は欠かせません。

お金に関してつくづく感じるのは、「お金は寂しがり屋」だということです。

お金は、大切にしてあげると増えていきますし、適当に扱ってしまうとすぐに逃げていきます。また、お金が集まっているところにはさらにお金は集まってきますが、不人気なところからはすぐに離れていきます。人間への接し方と同じで、お金も大切にしてあげることが重要だということです。

頑張って稼いだお金は大事に使うので、さらにお金を集める足掛かりとなりますが、楽に稼いだお金は無駄に使ってしまい、すぐに底をついてしまいます。

投資で詐欺に遭ったときは、このお金の法則を痛感しました。一時的に資金がたくさん手元に集まってきたタイミングで持ち掛けられた相談だったので、私も気が緩んで気前よく、熟考せずにお金を出してしまったという経緯があります。こういった私の経験も含め、ほかの多くの起業家や経営者を見てきても、たまたま楽に稼げてしまったお金は、定着してくれず、すぐに出ていってしまうものだな、と感じます。

ある先輩経営者がこう言っていました。「人というのは、自分の『器』分のお金しか残らない」と。詐欺に遭ったときの私は、器以上のお金を手にしてしまったのだと思います。ですから、よりたくさんのお金を大切に扱えるだけの器を手に入れようと、今も全力で自分を磨いている日々です。

小さな失敗を重ねて大きな成功を得る

さらにもう一つ、たくさんの事業に関わってきて感じた重要なことは、失敗しないなんてことは絶対にあり得ないということです。もはや使い古された言葉かもしれませんが、失敗は成功の基であり、失敗の先にしか成功は待っていません。

成功と失敗の数でいうと、私は断然失敗のほうが多い失敗人間です。成功率は0・1％程度で、残りの99・9％は失敗ではないかと思います。私に近しい人ほど、「この人はまた失敗している」とおそらく感じていることでしょう。

大事なことは、失敗した際に、大きな失敗にならないよう、失敗の被害を最小限に食い止めるよう努力することです。この考え方は非常に大切であり、経営の極意だと思います。社長である現在も、この基本原理に基づいて動いています。苦境に立たされるなかでもリスクを撃ち落としながら凌いでいき、小さな光であっても再生の道を見つけ出し、ほかの方が普通なら逃げ出してしまうような事態に遭遇しても諦めることなくやってきたからこそ、今の自分がいます。

本当のことをいうと、事業に失敗はつきものだと思っているので、私は失敗することを恐れていない部分が大きいです。

もっと言ってしまえば、失敗するのがうれしいと感じるくらい、失敗に対して寛容です。絶え間なくやってくる失敗に対処し続ければ、必ず成功へたどり着けるのですから、失敗を歓迎できる感覚になっているのかもしれません。失敗するたびにへこたれて引きずってしまうよりは、このような気の持ち方のほうが正しいと思っています。

トライ&エラーの先にしか成功はありません。小さなエラーを繰り返し、大きな成功を手に入れることを心掛けています。

常にベンチャーマインド

「安定」のリスク

企業価値を高めていくうえで、安定というのは、いいイメージがある反面、危険もはらんでいるものだと思っています。

事業が安泰に推移していて、例えば売上が毎年10%ずつ伸びている場合、一見するとその後も事業は順風満帆のように感じます。しかし時代の移ろいによって事業が大きな転向を迫られたとき、あるいは事業が時代から置き去りにされてしまったとき、その安泰に見られていた地盤は脆くも崩れ去ってしまいます。

既存の事業に頼りきりの経営を続けていると、新しいことにチャレンジするだけのベースが構築できていません。時代の変化に順応できず、企業価値がまたたく間に落ち、廃業へと迫られることにもなり得ます。

事業支援をしていくなかで、このようなケースには何度も直面しました。つまり、ある特定の時期は勢いよく伸びていったのに、時代にそっぽを向かれてしまった途端、衰退してしまうというケースです。

特に現代は、目まぐるしい速度で流行り廃りが繰り返される時代ですから、安定した状態に安心するのではなく、常に新しいことにチャレンジする姿勢を大切にしたいと思っています。

企業でいえば、10%ずつ売上が伸びていく事業とともに、売上が前年比で倍増の期待が見込める事業にも、果敢にチャレンジしていくことが望ましいのです。こういう企業が大きく勢力を伸ばし、長く生き残っています。

私はこの「安定のリスク」には十分警戒していて、常にベンチャーマインドをもって、新しいことにチャレンジしていく姿勢を貫いています。現状に満足することなく、常に学ぶ側、吸収する側に身を置いて、あえて安定を求めないようにしています。

目指すは予想を裏切り続ける企業

リミックスポイントはまさにベンチャー精神を現実化した企業です。上場しているので、安定感を求める企業に見られることもありますが、本心としてはいつまでもベンチャー企業でありたいと考えています。

安定的な事業を進めつつ、売上倍増に貢献してくれる期待がもてる事業にも挑戦していくことで、いい意味で予想を裏切る業績が出るような経営姿勢を保っていく方針です。仮想通貨交換事業の成功でグループの時価総額が1000億円を超えたのも、この姿勢が寄与してくれた面が大きいです。

個人ベースで見ても、淡々と日々の仕事をこなし、毎月給料が振り込まれる安定さも大切ですが、それだけでは時代の大きな変化についていけなくなってしまいます。ですから、ベンチャーマインドを胸に抱き続け、新しいことへの開拓心や冒険心はもっておきたいものです。当社でも、そのようなマインドをもって、新しいことを提案してくれ、自分から名乗りを上げた仕事に熱中し、いい意味で予想を裏切ってくれるような仲間に、たくさん集まってほしいと願っています。

スピードが命、即断してから知識をつける

悩むことがもったいない

ベンチャーマインドで成果を出すうえで欠かせないのがスピード感です。

新しいことに挑戦するとき、石橋を叩いて渡るような慎重さを保っていては、競合に勝つことなどできませんし、あとから入ってきた新参にもあっという間に追い抜かれてしまいます。ですから、ある程度リスクがあったとしても、速いスピード感を維持して進めて

いくことを私は心掛けています。

挑戦にあたっては、壁にぶつかることは日常茶飯事です。ぶつかるたびにいちいち悩んで立ち止まる人もいますが、これではスピード感が鈍ってしまい、事業であれば命取りにもなりかねません。

私はいつも「悩むことがもったいない」という考えで、立ち止まらず進んでいくスタイルでいます。

自分一人では越えられそうにない壁に出合ってしまったら、周りに助けを求めればいいだけです。私の場合は、不得意なことは自分でやることを即座に諦め、得意な人に任せるようにしています。

事業を上向かせるうえでは知識の蓄積は欠かせませんが、事前に知識を仕入れてから始めるよりは、事業を進めていきながら知識を入れていくことのほうが、成功率は高くなると経験的に感じています。リスクは走りながら撃ち落としていくというのが、経営を軌道に乗せるまでの私の手法です。

「消極的」に計画を立てる利点

スピード感を保つため、綿密なスケジューリングは積極的にはしないようにしています。予定はなるべく詰め込まず、急なイベントに臨機応変に対処できるようにしています。これは、綿密に計画を立てて、分刻みのスケジュールに追われているほかの社長から見たら、風変わりに感じられるかもしれません。実際に私のスケジュールを見てみると、翌週や翌々週の予定はほとんど入っていないことが多いです。

ぎっちりスケジュールを詰め込んでしまうと、新しい何かを始めようというとき、あるいは想定外の事態に急きょ対応する必要が出たとき、現在入っている予定とどちらを優先するかの選択に迫られ、采配一つでそのあとの成果に大きな差が出てしまいます。

何事も予想外の出来事はつきものですし、スケジュールどおり進む予定もありません。スピード感を保ちたいのであれば、あえて予定は詰め過ぎず、ゆったりしたスペースをもたせるのがいいでしょう。こうすることで、「今入っているものからこなさないと」と後回しする必要はなく、即座に取り掛かることができるので、私は大きなメリットと感じています。

事業のプランニングの面でも、私から無理に「いつまでに、こうしてほしい」といった細かい指示出しはせず、事業担当者の現場判断に任せています。事業が安定期に入っていれば、細やかに計画を立てることは重要かもしれませんが、スタートアップ当初は必要以上に計画を固めるよりは、ラフな計画だけ立て、あとは柔軟にやっていくことのほうが、成果は出やすいというのが持論です。

計画を立てる時間をつくるくらいなら、事業のためにやれることに時間を捧げるほうがいいでしょう。

計画を立て過ぎないことの利点は、時代の急速な変化に伴って、自身にも大きな変革を求められたときほど効果を発揮します。

2019年に発生した新型コロナウイルスの感染拡大の脅威においては、社会がさまざまな変化対応を余儀なくされました。国家的レベルでも、あらかじめ立てていた計画を、延期したり、あるいは中止も辞さなかったりするケースがあとを絶ちませんでした。

当社でも、当初の計画から大幅な変更を強いられることになった事業もありましたが、その一方で社会の大きな変化に対応できた事業もありました。それは感染症対策事業です。数年後に花開けば、という思いから2019年より始めた、社会的な意義も大きいこの事業に、新型コロナウイルス感染拡大によって一挙に需要と注目が集まりました。

２０２０年11月には東京都の後援を受け、感染症対策の商材を集め、専門家たちにもご登壇いただいた「ＳＴＯＰ感染症トーキョーサミット２０２０」を、当社が主催の一端を担って開催することができました。

慎重に慎重を重ね、綿密な計画を立てたあとに感染症対策事業スタートをしていたら、このような成果を上げることは不可能でした。計画立ては消極的に、しかし事業進行は積極的に、という姿勢が、成功要因となったのです。

スピードがあれば数で勝てる

すべての人にとって、常にスピード重視かというと、そうでもないかもしれません。人によって、あるいは時期によっては、スピードよりも慎重さが求められることもあるでしょう。

しかし、私にはスピード重視が合っていると思いますし、特に事業再生においては、絶対的にスピードが肝となっていきます。

小さなリスクには目をつむって、スピーディーにことを進めることの大きなポイントは、たくさんの数のチャレンジができることです。

1000の事業アイデアがあったとして、成功するのなんてせいぜい10から15くらいというのが私の感覚です。それらを一つひとつ、念入りにチェックをしてからやってみて結果をアウトプットしていくのでは、一つの人生では到底やりきることができません。もしかしたらいきなり当たりを引くこともできるかもしれませんが、これでは運任せになってしまいます。

ですから、とにかくトップスピードを維持して、1000回チャレンジすることを覚悟し、成功を必ず引く勢いが大切だということです。

また、慎重にやり過ぎるデメリットとして、せっかく伸びそうな事業の勝機を逃してしまうことがあります。これは起業家支援をしていた頃に身についた、私にとってとても重要な経営指針の一材料となっています。

2003年から2004年頃、ほぼすべての投資会社が、投資検討するにあたって「3期分の決算書」を必須材料として採用していました。つまり、3年間の実績を積み上げていないと、起業家は望んだ投資を受けることができなかったのです。

自ら起業をし、また多くの起業家と接触してきた身として、ここには大きな違和感を抱いていました。最も資金繰りに難儀するのは創業時やその直後です。起業家にとっていちばん支援してほしいときにお金を集めることができず、安定期に入ってからようやく資金が得られるシステムでは、事業規模を一気に拡大させる勝機を逃す要因にもなり、せっかく気概溢れる将来性豊かな起業家や事業を、見捨ててしまうことにもなりかねません。

ここに一石を投じたかった私は、これから起業する人や起業直後の人にも投資をしようと決め、ほかの投資会社とは一線を画したスタートアップ支援を行いました。

当時、この話を周りの投資会社にも伝えたところ、ほぼすべての人が否定的で、「それは投資ではなく直感に頼った遊びだ」という批判を受けていました。

これは半分正解といえます。前述したとおり、成功する事業なんて1000のうちのせいぜい10から15程度です。なんでもかんでも投資をしていてはすぐにこちらの資金が底をついてしまいますから、たくさんの人や事業に出合うことを徹底しました。

学生時代に多くの組織とコミュニケーションをとってきたので、うまくいく人とそうでない人の見極めは自然とできるようになっていました。スピードで母数を増やし、投資対象を厳選することで、一般的な投資会社が目標としている投資成績に比べ、圧倒的に高いパフォーマンスを出すことができました。今でこそスタートアップ向けのベンチャーキャピタルは日本でも多く存在していますが、2003年当時においてはまったくと言っていいほど事例がなく、まさに当時は非常識と思われていたことに挑戦したことは今でも誇りをもっています。

この成功体験が、現在の経営スタイルの根幹を築いていることは間違いありません。今後もスピードが命であると肝に銘じ、幅広く事業にチャレンジしていくスタイルを貫いていきます。

自己流人材発掘&人脈形成術

掘り当てるまで掘り抜く

当たり前の話ですが、みんな一人では生きていけません。それぞれが自分の強みを活かし、お互いの弱い部分を補い、支え合うことで、初めて人間らしく生きていくことができます。

私自身、自分の強みを十分にわかっているつもりですが、その一方で弱みもたくさんもっています。そのウィークポイントを仲間たちに補ってもらうことで、事業再生を達成したり、業績を伸ばしたりすることに成功してきました。

かつては起業家や事業支援の一つとして、人材採用にたくさん関わってきましたし、現在も社長という立場ですから、人材を発掘する役目はことあるごとに担っています。新規事業を立ち上げる際、社内の人間だけでは弱点を克服することができないと判断したら、補完してくれる適切な人を探してくることも多々あります。

私は周りから「人を見る目がある」とか、「人を見抜く力がある」という評価をいただくことがあります。確かに人材に恵まれていて、そのおかげでたくさんの事業を伸ばすことができています。

しかし、よくよく振り返ってみれば、100%最適な人材を見つけることができているかというと、決してそうではなく、ジャストフィットした人材を発掘できる確率は、せいぜい3割、多くても4割くらいです。多くは空振りに終わり、思うような相乗効果を上げられていません。

ですから、ここでもスピード重視の勝負をしていて、とにかくたくさんの人と会い、交流を重ね、うまくいきそうなイメージが少しでもわけば、事業に参画してもらったり、アドバイザーとして仲間に入ってもらったりしています。

掘り当てるまでガンガン掘り抜いていく、これが私の人材発掘法です。

人には相性というものがありますから、うまくいくかどうかは実際に動かしてみないとわかりません。例えば新規事業に際して、法律関連に詳しい人材が必要と感じ、その道の専門家を招き入れたとしましょう。その人が知識は満足に有していても、ほかの仲間との相性が最悪であれば、事業がうまくいく可能性は下がってしまいます。

相性のいい人と出会うまで、スピードを駆使し数で勝負するしかありません。

適切な人を発掘したら、まずはつなげてみる。つなげてみて、相性が悪くてうまくいかなかったら、またほかの人を探す。この繰り返しで、成功率は上がっていきます。とにかく掘り抜くのみです。

そのためにも私がすべきことは、常に人脈を広げていくことです。この点は世の経営者と同じで、ＳＮＳを駆使しますし、交流の場にもたくさん顔を出して、ネットワークを広げています。

「相手の幸せを思う」ことから始まる人脈形成

「ネットワークを広げる」といいましたが、この点に関してはほかの人と少し違った感覚をもっているかもしれません。

私は学生時代に起業したとき、ネットワーキングイベントにたくさん参加していました。SNSのない時代ですから、こういった集まりが今以上に重宝されており、事業活性化の肝でもありました。

その頃によく感じていたのは、ネットワーキングというのは、ネット（人間関係）が勝手にワーク（機能）するのではなく、自分を中心にワークさせるべきだという点です。

現代はSNSを駆使すれば誰でも簡単に人とつながることができ、友達をつくることができますが、それではまったく意味がありません。ただネットが構築されただけであり、まったくワークできていないのです。

それではどういった働きかけをすればいいかというと、つながった人のために何ができるのかという発想をもつべきです。私はいつも、知り合った人に対して、「その人により幸せになってもらうために、自分には何ができるだろうか」を考え抜いています。ここで重要となってくるのは、第4章で紹介する「自分の価値を提供する思考」です。

相手に足りていないものを、こちらが補ってあげることで、幸せを共有できるのではないか。この発想によってワークが巻き起こり、コミュニティはつくられていきます。

会社というコミュニティもその考えに基づいてつくられるものであり、ネットワーキングの一つであるべきです。

社員たちそれぞれが自分の価値を提供し、お互いの足りていないところを補い合っているからこそ、相乗効果が生まれ、会社は伸びていきます。私は「社員が幸せであるには、自分はどういうことをしてあげればいいのか」を常に追求しながら、彼らと接するようにしています。

時には、相手の幸せを考えればこそ、社員に部署の異動や転職を勧めることもあります。勧められた社員に驚かれることもありますが、実際には仕事や人間関係は合う・合わないがありますし、その人がもっと活きるところで仕事をするほうが幸せなこともあると思っています。「あなたの幸せを思ってこその提案です」という思いを丁寧に伝えることで、「小田さんがそこまでいうなら」と応じてくれます。そして結果、「会社を移って良かった」と思ってもらえるような幸せを手に入れています。

ＳＮＳの発展とともにこのような発想が薄れていて、せっかくつながっていても機能していないケースをよく見かけます。いかにつながりやすくなった時代とはいえ、友達を増やしやすい時代とはいえ、最も大切なことに変わりはありません。つながった人が幸せになるために、自分ができることを考え抜くことです。ネットワーキング、人脈形成の本質はそこに集約されていますし、この発想こそが目標達成に直結すると思います。

経営者、というよりは、アーティスト？

事業は作品

社長をしている身で言うのも変な話かもしれませんが、私ほど社長に向いていない人間はいないと思っています。

一般的に社長というのは、会社の代表者であり、社内のあらゆる権限を有している存在です。社長の指示や方針に基づいて、社員たちは業務をこなし、会社は動いていくものです。

しかし、当社の場合は、社員たちそれぞれに仕事をつくることを委ねています。私がすることは、事業がうまくいくようお手伝いすることであり、あまり組織のトップらしいことはしていないと感じています。

リミックスポイントの社長になるまでは、事業の後方支援を行う「経営の裏方」を主業務としていたというのも、私のその性格がよく出ています。あまり社長職に対してのこだわりはなく、私よりもふさわしい人がいたらすぐに社長の椅子を譲っていいとさえ思っています。

社長というのは、売上が出るかどうか、収益が見込めるかどうか、というビジネスドライを中心に据えた目線で、経営の先々を判断すべき存在です。しかし、私の場合は、何をするにも売上や利益ももちろん大事ですがそれ以上に、関わる人たちが幸せに、ワクワクしながら取り組めるかどうかに主眼を置いています。どの事業も「この人とこういうことができたらいいな」「この人とこんな夢が実現できたらいいな」というイメージ先行でスタートしているわけです。

私にとっては、自分の関わるすべての事業が、音楽や映画などに近い「作品」なのだと思います。商業的な価値よりも、芸術的な価値、作品に触れた人にどれだけの幸せや喜びを与えられるかにこだわっています。

事業は、携わる人たち全員によってつくられるもので、たまたま私は社長という役目を与えられているだけであり、一つのパーツに過ぎない、という考え方が根底にあります。根拠よりもイメージや発想重視、という点においては、私は経営者とか社長タイプというよりも、アーティストに近いのかなと感じています。

私が頑張って事業に取り組むモチベーションの源は、お金ではなく、関わった人たちが幸せになること、これがすべてです。作品を通して、社員が幸せになり、お客さまが幸せになってくれたら、これ以上を望むことはありません。

お金のことは後回し

幸いにも、以前の投資で成功して一定の財は得ていたので、事業を作品づくりの観点でスタートさせ、自分への金銭的な見返りは、まったく期待せずにやっています。

リミックスポイントには、廃業寸前状態からの再生を遂げるため、社外取締役として入りました。当初は赤字でしたから、役員報酬は頂かずに再生に取り組んでいました。このように「赤字のうちは報酬は要らないです」とほぼボランティアで関わってきた案件がいくつもあります。

これは完全に私個人の価値観であり、「会社が赤字なら役員は報酬を受け取るべきではない」と言いたいわけではありません。作品づくりを楽しめるのなら、お金なんて後回しでいい、という発想の人間なだけです。完全に社長とは真逆のタイプだと思います。

もう一つ、自分がアーティスト寄りだなと感じるのは、資料づくりを自ら進んでやる点です。

会議やプレゼンの資料を自分でつくるので、新入社員からもよく驚かれます。資料づくりが好きですし、ほかの人よりも迅速に正確なものがつくれるという自信をもっています。社員からは「時間はかかりませんでしたか」と聞かれるのですが、実際のところ、3時間くらいかかると想定していた作成時間が30分程度で終わる、というようなことをよく経験します。

資料作成中はかなり集中できており、いわゆるゾーンの状態に入っているようです。これもアーティストっぽさが出ているなと感じる一例です。

第3章

人生最大の不祥事、仮想通貨流出事件が勃発

冷静に対処しながらも苦悩と葛藤は続く

2019年7月11日21時11分、アラート検知

流出事件の顛末

リミックスポイントの子会社ビットポイントジャパンで起きた仮想通貨不正流出事件（以下、流出事件と呼びます）は、多くの方にご心配やご迷惑をお掛けし、また、仮想通貨業界に大きな影響を与え、当社グループの信頼を損なう事態となりました。

利用者の方々への払戻しは流出事件発生後、時を移さずに完了したものの、流出原因は2021年5月現在もなお調査中であり、流出事件は完全に終息を迎えてはいません。引き続き、この流出事件と真摯に向き合い、必要な対策を講じて、再発防止を徹底するとともに、お客さまに対してより価値の高いサービスを提供していく所存です。

本章ではこの流出事件の経緯を伝えるとともに、本件から得られた教訓と反省点を再生の観点から見直し、このような大きな不祥事を経験しながらも、私が社長を続け、当社が仮想通貨交換事業を継続する理由についても触れていきます。

まずは流出事件が起きた当時のことを、時系列に沿って振り返ります。

検知直後の緊急対応

ビットポイントジャパンが運営する仮想通貨取引サービスの監視システムがアラートを検知したのは、2019年7月11日21時11分頃のことでした。

アラートの内容は、実際のブロックチェーン上の記録と、仮想通貨取引システムのデータベースにおける仮想通貨の移動情報が相違しているというものでした。この、アラート検知のタイミングから、仮想通貨の不正流出が始まったものと考えられます。

アラートに関連した事象を詳しく確認したところ、「仮想通貨が不正流出している」と断定できたのが、同日の21時45分頃でした。

当時のビットポイントジャパンのCOO（最高執行責任者）から、自宅に待機していた私のところへ連絡が入ったのは、22時前後のことだったと記憶しています。

手短な障害の報告に加え、「たぶん大丈夫だと思います」と最後に言われましたが、ただならぬ予感を抱いた私は、すぐにタクシーに飛び乗りオフィスへ急行しました。

私は事業の多くのことを現場に委ねています。よほど大きな問題でない限り、私のところへ連絡がくるはずはないのです。「これは大きなトラブルになりそうだ」と覚悟し、これから対処していくリスクについて、タクシー内で一人思案していました。

現場は、流出を食い止めるための対応作業に追われていました。

少し技術的なところに触れておきますと、仮想通貨をしまっておくウォレット（日本語でいうところの「財布」）には、「ホットウォレット」と「コールドウォレット」の2種類があります。両者の違いは、ホットウォレットはインターネットにつながっていて、コールドウォレットはインターネットにつながっていない状態となっています。

過去にも数社で仮想通貨不正流出がありましたが、インターネットにつながっているホットウォレットに不正アクセスされたことで発生していました。今回の不正流出もその可能性が高いと見て、利用者から預託されていたホットウォレット内の仮想通貨を、まずビットポイントジャパンの自己保有分を管理しているホットウォレットへ緊急避難させました。

しかしこのビットポイントジャパンの自己保有ホットウォレットからも仮想通貨が流出している可能性があると判明し、さらなる処置として、仮想通貨をコールドウォレットへすべて移動する作業を開始しました。ただ、結果をいうとこの当社仮想通貨取引システム内での緊急対応は功を奏さず、対策を講じている間にも次々と流出してしまったのです。

流出額30億円以上の不祥事

絶望のなかでも前向きに

日付は翌7月12日となっていました。

まだこの時点では、被害総額がどのくらいになるのか、全容が把握できていない状況でした。

私のこのときの心情を白状すると、金額の多寡にかかわらず、ビットポイントジャパンのセキュリティが破られ、秘密鍵が盗まれ、仮想通貨が流出したという事実に、ただただ愕然とするばかりでした。

他社の仮想通貨流出事件に際し、「明日は我が身」と気を引き締め、ビットポイントジャパンをこれからさらにいい意味で変えていこうと、そう決意して動き始めた矢先の流出事件だったのです。また、ビットポイントジャパンを創業した際に、どこよりも「安心・安全な仮想通貨取引所」を創りたいという考えがあり、大手証券会社のセキュリティ責任者を招聘するなどセキュリティ面を最重視した体制を構築してきた自負がありました。

実際に業界関係者も「ビットポイントジャパンはしっかりしている」という考えを多くの人にもっていただいていました。

日本一、いや、世界一の仮想通貨取引所を目指したい。昨日まで意気揚々と胸に掲げていた目標が、たったの数時間で脆くも崩れ去り、視界を閉ざされたような無情な感覚に襲われました。利用者の方々をはじめ、目標達成のために協力してくれた人がたくさんいたにもかかわらず、彼らの期待を裏切り、迷惑を掛けてしまうことに悔しさを感じ、オフィスの隅で涙を流したことを覚えています。「弱音を吐いているところを見たことがない」と周りからよく言われる私も、このときばかりは弱り果てました。

しかし、ネガティブな気持ちになるのはここまでだ、と自分を律しました。社長の私が沈んでいたら、周りにネガティブな感情が波及してしまいます。周りがどれだけ沈んでいても、私だけはポジティブに、前向きでいようと決め、流出事件に関する1回目の対策会議にのぞんだのです。

1回目の対策会議

幹部を招集した1回目の対策会議が開かれたのは、7月12日夜中の3時のことです。アラート検知から目まぐるしく動いていた社員たちは憔悴しており、会議室は殺伐とした重たい空気が流れていました。

この時点で仮想通貨流出量の概算が判明していました。ハッキングによって流出した額の合計は、およそ30億円。報告されるとともに、方々からため息がこぼれるのがわかりました。がっくりと肩を落とす幹部もいました。「まさか自社でも流出騒動が起きてしまうとは」という虚無感と、これから待ち受けているであろういくつもの試練に対する絶望感が、会議室全体を包み込んだのです。

しかしくよくよしている暇はありません。私たちがやるべきことは、目の前の課題を一つひとつクリアしていくこと、ただそれだけです。

最優先でやらなければいけないことは、大きく二つありました。

一つはシステム面、引き続きコールドウォレットへの直接移動作業によって仮想通貨の流出被害を少しでも抑えることに尽力するとともに、どこから、どうやって流出しているのか、原因究明に努めなければなりません。併せて、仮想通貨の送付や預入サービスの停止も行うべきでしたが、流出を少しでも食い止めるため、まずは直接移動作業を優先させることとなりました。

そしてもう一つはケア面、関係者の方々へ正しく情報提供し、今後発生する利用者の方々への補償方針を明確にすることでした。

これらの経験したことのない大掛かりな対応業務を、各自で分担して、迅速かつ丁寧に進めていくことを確認し合い、1回目の対策会議は終わりました。終わり際、私は次のようにも伝えました。

「寝られる人はなるべく睡眠をとってください。あと、絶対に食事も。なるべく温かいものを食べてください」

全員が対応に追われ、休息をとれていない状態でした。このままでは慢性的なエネルギー不足に陥ってしまい、対策作業にブレーキがかかってしまうことも考えられます。無理はせず、時間を見て、自分自身のケアも行ってもらうようにお願いしました。

7月12日の朝方には、コールドウォレットからの仮想通貨不正流出の可能性は低いことを確認し、直接移動作業を継続するとともに、コールドウォレット内残高の定期チェックを開始しました。

朝6時、ビットポイント取引ウェブサイトにて「緊急システムメンテナンスのお知らせ」を掲載、利用者へ向けて送付・預入サービスの停止を告知しました。この間、SNSやインターネット掲示板には次第に、「まさかビットポイントもハッキング？」といった類の書き込みが増えるようになり、多くの方に不安な時間を過ごさせてしまうこととなりました。

7時30分頃に2回目の対策会議を行い、正午を目処にリミックスポイントより不正流出があった旨を開示することが決まりました。また、金融庁に対しても、流出規模や当社の対応基本方針を提出し共有しました。

利用者を不安にさせないためのケアに全力集中

速やかな仮想通貨調達

7月12日朝の2回目の対策会議では、お客さまへのケアマネジメントにおいて、次の非常に重要な方針を取り決めました。

「利用者の方々にできるだけ、ご迷惑をお掛けしないよう、そして不安が最小限で済むよう、誠心誠意対応していく」

この方針に従って、課題を一つひとつ解決していくこととしました。

まず最優先で解決すべき課題が、利用者の方々に払戻しをする仮想通貨の確保です。

ここで絶対条件として掲げたのは、「日本円」ではなく「仮想通貨」でお返しすることです。

過去の他社の仮想通貨不正流出では、保有者への補償分を法定通貨に換金して返還したことが、問題視されるという事例がありました。仮想通貨はいわば生き物であり、レートは常に動いています。したがって、仮に日本円で返すとしても、いつの時間のレートで返すかはネックであり、保有者から「1日前のレートのほうが多くもらえた」といった類の不満が出てくることは、当然の話でした。加えて、仮想通貨を日本円に換えて返してしまうと、その時点で税金が確定してしまうことになり、これもトラブルの元となってしまったのです。

このような前例があったので、なんとしても流出分相当額を仮想通貨で集め、利用者の方々へ払い戻すことのできる状態にすることを必須のミッションとしました。「流出した仮想通貨は戻ってくるのだろうか」「戻ってくるとしても、日本円だと困る」と心配している方へ少しでも早くポジティブな発表ができるよう、迅速な仮想通貨の調達を目指しました。

すでに不正流出直後の7月11日の段階から、流出した分の仮想通貨を調達するよう指示を出して動いており、12日の段階では98％の調達が完了、翌13日にはすべてそろえることができ、その段階で同種同量の仮想通貨で払戻しに応じる旨を開示することができました。

この発表の反響は大きく、払戻しに関しては利用者の方々の期待を裏切ることなく、不満を最小限に抑えた対応をすることができたと感じています。

お客さま一人ひとりに対応

もう一点、これも最優先で対処したのが、コールセンターの電話応答でした。

7月12日朝の「緊急システムメンテナンスのお知らせ」に続き、10時頃には全サービスの停止を行いましたが、この時点でコールセンターへの問い合わせの電話が鳴り止まなくなっていました。コールセンターの電話応答率は3割弱、10件に3件ほどしかつながらないという、お客さま対応が満足に行えていない状況に陥っていたのです。

この状況を一刻も早く改善する必要がありました。人員を補強し、翌営業日にはほぼすべての問い合わせに出られるよう目指したのです。

12日のうちに口座開設新規申込の受付を停止し、新規申込担当者にも既存の顧客電話対応へ回ってもらうことにしました。

これらの人員補強が功を奏し、翌営業日には電話応答率98％を達成することができました。

これがお客さまの安心材料につながったのは間違いありません。公式サイトのお知らせで最新の情報は逐一公開し、電話口においても保有分は必ず仮想通貨で返還できる旨をお伝えしていたこともあり、以降の問い合わせを大きく減らすことができました。

これまで体験したことのない丁寧かつ急速な対応を迫られましたが、「お客さまの不安や疑問を一つひとつ取り除く」姿勢を真摯に行っていくことで、不安を最小限にとどめるという当初のミッションを果たすことができました。

不祥事発覚後の数日間の対応如何で、その後V字回復したところもあれば、そのまま再生することが叶わず転落していったところもあります。対応一つ間違えていれば、私たちも後者の道をたどる一社になっていたことでしょう。

記者会見の裏側

会見を開くメリットとデメリット

流出事件に関する記者会見を開いたのは、連休明けの7月16日のことでした。金融庁からは、不正流出が発覚した翌日の7月12日にでもすぐに会見を開くべきという助言をいただき、また私たちとしてもいち早く会見を開いて現状をお伝えしたかったのですが、12日時点ではまだ被害総額もわかっておらず、今後の見通しについても確かなことが伝えられない可能性もあり、連休を挟んだ最初の営業日に開くこととなりました。

ただ、会見を開くことを決めるまでにも紆余曲折がありました。対策会議の場では「そもそも会見はやらないほうがいいのではないか」という意見も出ていて、賛否両論さまざまであり、全員の意見を抽出しながら議論し、熟慮する時間を要しました。

顧問弁護士からは記者会見のリスクファクターについて詳しいアドバイスを受けました。当然、記者会見をやることによるメリットとデメリットがあり、その一方で、記者会見をやらないことによるメリットとデメリットがあります。「いちばん大事なことは、あのときこうしておけばよかった、という後悔を抱くことのないよう、自身で決断すること」という弁護士のアドバイスは特に印象に残っています。

他社の事例では、記者会見で笑いものになったり中傷されたり、最悪なのは個人の人生や会社経営に大きなダメージを残してしまうケースもありました。そのリスクは非常に大きなものであり、「会社の代表として会見に臨み、もし関係者の方々に迷惑を掛ける結果を招いてしまったら」という懸念は、最後まで拭い去ることはできませんでした。

しかしそれでもやはり、しっかりとお客さまや株主の方々に対して、ビットポイントジャパンの真摯に前向きに対応していく姿勢を、代表者の口から、直接説明すべきだという思いから、記者会見を行うことに決めました。

模擬会見

自分自身で判断したからこそ、100%納得のいく記者会見にしようと思いました。想定される質問をあらかじめシミュレーションし、なるべくわかりやすい回答ができるように準備しました。

また、週明けの会見に先立ち、リハーサルとして、リミックスポイントグループが契約していた危機管理会社を利用し、模擬会見をしました。

元記者など5人ほどの模擬メディアに囲まれ、厳しい質問を浴びせられる想定で予習を行いました。「声が小さい」「何を言っているか聞こえない」といった野次が飛ばされるなかで、動揺を抑え耐性をつけながら、こちらの伝えたいことが十分に伝えられるよう練習しました。実際の会見の場では野次が飛ぶことはありませんでしたが、事前にさまざまな事象を経験しておくのは大切なことだと痛感しました。特に会見開始時に頭を下げる際、方々から発せられるフラッシュを浴びると思考が停止してしまう人も多いようで、これを前もって体験できたことは大きな意味がありました。

危機管理会社から事前に念押しされたのは、真摯な対応を心掛けること、安易な口約束をしないこと、経営責任や進退に関することなど現状でわかっていないことには「わからない」と回答し明言を避けること、といった点でした。言葉の端だけを切り取られ、そこにフォーカスして報道されることもあるとのことでしたので、不用意な発言はしないよう肝に銘じました。

さらに顧問弁護士からは「記者会見は加点を多くするのではなく、減点を減らすことが何より重要」というアドバイスもありました。通常の企業の会見、つまり新商品やサービスのプレゼンでは、いかにして記者や投資家などにアピールして加点を増やすかを考えるのが基本です。その感覚が身についてしまっていると、謝罪会見の場であっても、自分や自社を少しでもよく見せようと気構えてしまい、かえって見る側にマイナスの印象を与えてしまいます。

会見を通して印象が良くなることなどあり得ず、悪化していくのをなるべく防ぎ止めることが重要だと、会見へ臨むうえでの姿勢をリセットすることができました。

会見後の反響

入念なリハーサルを行った甲斐もあり、記者会見は社内外から想定以上の評価をいただける結果となりました。顧問弁護士からも「減点材料がほとんどない内容だった」と言われ、代表者としての役目を果たすことができたと、安堵したのを覚えています。

対応に追われている社員たちが疲弊し、落胆しているなかでの会見でしたし、何人かは生中継の会見を見ているはずでしたから、彼らに報いたい気持ちもありました。責任者である私が、社内の人たちの思いを十分に代弁できるよう徹頭徹尾冷静でいようと努めたことも、会見をいい形に締めることができた一因につながったように思います。

その会見の全容については、ニュースとなってさまざまな媒体に掲載されているので、深くは触れません。ここでは会見後の社内のことについて書きます。

会社にとって大きなプラスとなったのは、記者会見後からクレームの電話が激減したことでした。必要な手続きを所望されているお客さまの電話に、集中して応対することができるようになり、この点だけでも、リスクを覚悟して会見を開いた価値はあったように思います。

また、2019年の年末にはサービスを再開することができたのですが、実に95%以上ものお客さまが、そのまま継続的に資産を預けてくださり、サービスを利用してくださいました。これも、記者会見の実施が少なからずの影響を与えていると思います。

記者会見を見届けた社員からは「不正流出を受けて、本当は会社を辞めようかと思っていたのですが、小田さんがすごく真摯に回答していたので、このまま一緒に続けていきたいという気持ちが戻ってきました」と、率直な感想を聞くことができました。社内の人事的な混乱を招くことはほとんどなく、着々と流出事件の傷跡を癒すことができています。

もちろん、すべてにおいていい結果を出せたわけではなく、マイナスの影響もいくつかあったとは思いますが、私としてはリスクを最小限に抑えながらの会見ができたと、自分なりに前向きに評価できています。

やはり、責任者である私の言葉を通して情報を発信し、けじめをつけた意味は大きかったです。この一連の騒動に引きずられることなく、みんなが前を向け、一丸となってグループの再生を誓えたことは何よりでした。

最後に、これは余談ですが、模擬会見について危機管理会社と最初の打ち合わせをした際は、すでに流出した分の仮想通貨が確保できている段階でした。その後の対策プランについても、金融庁との連携を踏まえ、ある程度の見通しが立っていた段階でしたから、会見は私の気持ち的には、すでにどん底は抜けていて、気持ちを上げ前を向いている状態だったのです。

今でも覚えているのは、フラットな状態で打ち合わせに参加している私を見た危機管理会社の方に「本当にこの方が会見をするのですか?」と、変な意味での心配をされてしまいました。会見の場に立つ方は、もっと恐縮して困った表情で相談に来られるそうで、私の平然としている様子は意外だったようです。

このときもまだ私の気持ちに整理がつかず、動揺を隠せないような心理状態だったら、記者会見をあのように滞りなく終わらせることはできなかったかもしれません。

事業継続を決めたワケ

「自社内で解決できる」とスピード判断

不正流出発覚の翌朝の時点で、「ビットポイントジャパンでの仮想通貨交換事業は継続していこう」と、迷うことなく今後の事業方針を決めていました。

ほかの事例を見ると、ハッキングによる仮想通貨の不正流出後、取引所を運営していた仮想通貨交換事業者は、他社の子会社となったり、事業譲渡を行ったりしています。その理由は、不正流出によって失った損失を補うための支援と増資、そしてガバナンス体制を見直し、いち早い信頼回復と復旧を目指すことにあると考えられます。

しかし、ビットポイントジャパンの場合は、他社の支援を極力求めず、自分たちで問題を解決し、その後も自分たちで事業を続けていくことにしたのです。

早い段階で事業継続を決めた理由は大きく二つあります。

まず一つは、自社の力だけで利用者の方々へ迅速かつ適切な払戻しができそうだという見通しが立てられていたからです。

システムセキュリティの見直しや信頼の回復など、事業収益は当分、回復の見込みはないと覚悟していました。補償分30億円も含めて、合計で50億円くらいの資金が必要になると見積もっていました。決して小さな額ではありませんが、これまで積み上げてきた収益と、ファイナンスで工面できる額であり、事業継続は問題ないと判断したわけです。これは、リミックスポイントグループが仮想通貨交換事業以外にもさまざまな事業を展開し、安定的な収益と成果を実現し、そして何より、各方面から信頼を得ることができていたからこそできた判断です。

みんなの気持ちを高く維持するために

事業継続を決めたもう一つの理由は、こちらのほうが実は理由としては大きいのですが、落ち込んでいる社員の気持ちを盛り立てるためでした。

「事態が収束したら、ビットポイントはなくなってしまうのだろうか」「会社がなくなったら、今後自分の身はどうなってしまうのか」といった先の見えない不安を抱えたまま、後始末をつけるための対応に追われるのと、「この窮地を乗り越えたら、またこれまでどおり事業に打ち込める」という展望を抱きながら、事業継続のために対処するのでは、たとえ業務内容は同じでも、感覚がまったく違ってきます。

実際、事業継続を伝えて以降、社員の反応は目に見えて違っていきました。モチベーションを高く保ったまま、一丸となって真摯に対応できたことで、信頼回復までの時間を大幅に縮めることができたと感じています。

私自身の去就についても悩みどころでした。大方の対応が済んだ段階で、責任をとって退くべきか、金融庁を含めた関係各所にも相談したところ、「小田さんなら安心して任せられるし、流出事件発生からの対応も適切だった。引き続き経営をしてくれたほうが安心感がある」というお声をいただき、私もこのまま社長として在籍することを決めました。

私自身、事業再生を始めたきっかけが「再チャレンジができて当たり前の世の中にしたい」という思いからでした。ここで諦めて逃げるように会社を離れてしまっては、再チャレンジできる世の中の実現とは程遠い道を自らが選んでしまうことになります。

そういった原点に秘めた思いも含め、私が責任をもって、少なくとも事業継続が軌道に乗り、「再びの再生」が叶うまでは、社長を続けていこうという結論に至りました。

冷静に対処するも苦悩と葛藤は続く

関係者のケアこそが最優先リスクマネジメント

一連の仮想通貨不正流出事件では、顧客対応や記者会見などさまざまなリスクに直面し、一つひとつを慎重かつ丁寧に克服していく、私の人生のなかでも最難関の試練となりました。しかし、社員たちの頑張りのおかげで、流出事件に伴う副次的な事態の悪化を招くことなく、事業修復への新しい一歩を踏み出すことができました。

正直なところ、私自身、こんなに早く事態を収束させられるとは思っていませんでした。過去の他社の流出事件では、対応の遅れや杜撰《ずさん》さに非難が集中し、被害者の会が立ち上がり係争となってしまう最悪のケースも起きています。そのような、会社にとってもお客さまにとっても大きな負担となってしまう事態に至らなかったことは、これ以上ない結果だったといえるでしょう。

今回の件で何よりも大事だと感じたリスクマネジメントは、関係者の皆さんへのケアでした。お客さまへの対応、正確な情報の共有発信や、仮想通貨払戻しに関する具体的な方策の提示などを、適時に行うことはもちろんですが、その一方で社員へのケアも大切であることを痛感しました。

むしろ、このような未曾有の事態に直面した際に求められる社長の役割とは、社員たちのケアマネジメントであることを実感した次第です。苦難のなかにあっても、社長の前向きでいようとする姿勢や鼓舞に触れることで、社員たちは自然と元気を受け取ることができます。元気づけられた社員が頑張ろうという気持ちになれば、必然と、お客さまのための真摯な対応を心掛けてくれるようになります。全員にとって良い方向へと向かうことができるのです。

ですから私は、流出事件の際に特に心掛けていたこととして、社員の前に出る場では、必ず「ありがとうございます」という言葉で始め、「引き続きよろしくお願いします」の言葉で締めるようにしていました。前向きな言葉を発し、彼らを元気づけることも念頭に置いて、話し合いを進めていくようにしました。

私がこのような感謝の心を忘れてしまったら、社員たちも自分のことで手一杯になり、お互いへの気遣いができなくなってしまいます。「自分は何も悪くないのに」「セキュリティ対策が甘いせいでこんな目に」といった不平不満ばかりが募り、時には堪えていたものが爆発して、感情的な言い争いにまで内部で発展していたかもしれません。当然、モチベーションは落ちていく一方だったことでしょう。ギスギスした空気のなかで、それぞれが孤独感を味わいながら、終わりの見えない苦痛の対応を強いられることになっていたはずです。

社長である私自ら、率先して感謝の言葉を掛けることで、彼らが感情任せになってしまうことを避け、「一緒になって何かできることはないか」という視点で考え、お互いを励まし合い、感謝し合いながら進めていく体制を築くことができました。非常にシンプルで明快な要素ですが、これこそが、どん底の状態からも這い上がっていくために必要不可欠だったのです。

諦めるタイミングはいっぱいあった

不正流出発生当日と翌日はさすがに気が滅入りましたが、それ以降の私は周りから「こんな事態なのに小田さんなんでそんなに普通でいられるんですか」と言われるくらい、いつもの調子を維持することができました。

会社の代表としての立場である自分が、意気消沈していてはいけないという戒めもありましたし、早い段階で今後の対応方針を固め、お客さまの保有分の確保の目処も立てることができ、いちばんの心の重荷を下ろせていたことも、平静を保てる要因となりました。

不祥事ととらえられているビットポイントジャパンの仮想通貨不正流出事件ですが、誤解を恐れずに言うと私自身は、実のところそうは思っていません。

不祥事とは、地位や信頼を取り返すことのできないような問題のことであると私は考えています。しかし今回は、一つひとつのことを丁寧に対処し解決していけば、必ず会社は元の状態へ再生できると確信できていました。そういった意味で、不祥事が起きないようにすることも大切ですが、それ以上に課題が起きた際にどのように対応・対処していくべきかが重要だと考えています。

現在はサービスも復旧し、以前と変わらずお客さまに利用いただいていますし、私たち自身も不正流出事件とその後の対応を通して、会社はさらに成長し、より大きなチャレンジをするための糧を得られたと、前向きに考えています。

とはいえ、金額の規模も社会へ与えた影響も大きな事件です。反省しなければいけない点はいくつもあり、決して同じ過ちを繰り返してはならず、今後より対策を強めていく方針です。

サービス復旧に無事至るまでの道中、「もう諦めたほうがいいのではないか」と感じてしまう分かれ道もたくさん存在しました。

流出事件を通して、社員や利用者の方々が離れてしまったら、もう事業を続けることは叶わなかったことでしょう。資金調達も見通しを立てられなかったら、ビットポイントジャパンを廃業することも考えていたかもしれません。

諦めるタイミングはいっぱいありました。

リスクや課題を克服し、今現在も再生の道を歩めているのは、支えてくれている社員、そして今も応援し続けてくださっているお客さまのおかげです。

「再びの再生」を目指して

かつてハコ企業と揶揄されたことのある会社が、エネルギー関連事業を始め、電気で安定期を迎え、仮想通貨で一気に飛躍を遂げ、時価総額1000億円企業にもなりました。

リミックスポイントがようやく再生を遂げ、マイナスからゼロ、そしていよいよプラスの段階へ突入し全盛期を迎えた矢先の、子会社ビットポイントジャパンでの仮想通貨不正流出発生事件は、私たちに大きな意味をもたらしました。

好事魔多しといいますか、うまくいっているときほど、虚を突かれ思いがけぬ問題を招いてしまいがちです。常に気を緩ませることなく、リスクマネジメントを心掛けていく姿勢を、さらに強めていきます。

リミックスポイントグループは現在、「再びの再生」のため、社会的な信頼を高めていきながら、果敢に新しいことへもチャレンジし、成長していく企業スタイルを続けていきます。

ビットポイントジャパンは2019年12月に再スタートを切りました。今回のような流出が二度と起こることのないよう、セキュリティを強化し、お客さまからお預かりしている資産は100%コールドウォレットで保管するよう改善しています。

仮想通貨業界全体に関しては、一時期の仮想通貨ブームが過ぎ去り、やや沈静化の傾向でしたが、まだまだこれから波が何度もやって来るという予感を抱いています。

実際に、最も注目度の高い仮想通貨の一つである「ビットコイン」の推移を見てみると、2020年の秋頃から上昇を始め、本稿を執筆している2021年4月時点では、6倍近くにまで上昇しています。

ビットポイントジャパンでも日を増すごとに取引が盛んになっており、今後ますます、仮想通貨交換事業は活性化していくものと思われます。リミックスポイントグループも、より強く高く成長し、諦めなければ必ず再生できることを、証明していきたいと志を高くもっています。

Column 01

リミックスポイント・インタビュー

藤本真衣氏　株式会社グラコネ　代表取締役　ミス・ビットコインとしても活躍

Q　リミックスポイントグループのなかでどのような役割を担っていますか？

仮想通貨（暗号資産）、ブロックチェーン関連のアドバイザーとして、リミックスポイントの子会社ビットポイントジャパンの外部顧問をしています。

Q　藤本さんがビットポイントジャパンと関わるようになった経緯を教えてください。

2017年頃に、当時の顧問先の紹介でたまたま小田さんと知り合いました。そのときは簡単に挨拶をした程度でした。それから1年後、西日本豪雨があった際、バイナンスという世界最大級の仮想通貨取引所から、およそ1億円分のビットコインを被災した地域に寄付したいという申し出があり、そのうちの半分、5000万円分が私に託されたんです。私のほうで日本国内で日本円に換えて、信頼できる機関に寄付することとなりました。ただ膨大な資産をいきなりビットコインから日本円に換えようとすると、仮想通貨は値動きが激しいため、きちんと5000万円分を確保できないかもしれないリスクがあり、仮想通貨取引所の協力が必要だったんです。そこで何社か仮想通貨交換事業を扱っている会社に連絡をとったところ、ビットポイントジャパンの小田さんがいちばんに返事をしてくださいました。それだけではなく、かなり親身に相談に乗ってくださり、小田さんのスピーディーさや社会貢献に熱心なところに感銘を受けたのを覚えています。ビットポイントジャパンの協力を経て無事に5000万円分の日本円を受け取ることができ、寄付することが叶いました。この出来事をきっかけに小田さんと意気投合し、顧問となりビットポイントジャパンのお手伝いをさせていただくことになりました。私の具体的な役割は、海外のプロジェクト提携やリサーチなど、ブロックチェーンや仮想通貨に関わるさまざまな案件で相談に乗らせてもらっています。

Q 仮想通貨では過去に国内で流出事件がいくつかありましたが、その当時の藤本さんの心境や見解を教えてください。

国内で最初のハッキング被害はマウントゴックスでした。まだ世間にビットコインのことはほとんど知られておらず、取り上げたメディアも間違った知識で報道していることが多く、当時からビットコインに惚れ込んでいた立場からすると、ビットコインに対し誤解を与えるような報道を目の当たりにし、残念に感じたのを覚えています。ただ、あの当時はビットコインのことを理解している人のほうが珍しいですから、仕方のない話かもしれません。今考えるとあの事件はむしろ、多くの人にビットコインに興味をもってもらえるきっかけになったといえるでしょう。実際、マウントゴックスの件でビットコインのことを知り、「なんでそんなよくわからない怖いものに手を出すの?」という人と、「これは面白い」と思って事業を始めた方、きっぱりわかれました。実際、仮想通貨業界で中心的に活躍している方も、マウントゴックスでビットコインを知り、そこから熱狂して事業を立ち上げた人も結構いるんですよ。コインチェックの際は、仮想通貨業界全体が絶好調だった矢先でしたし、額も巨大でしたので、なんでこのタイミングで……という残念な悔しい気持ちと、昔から一緒に業界を盛り上げようとしてきた知り合いが頭を下げている姿を見るのがつらいのとが入り混じり、泣きながら記者会見を見ていたのを覚えています。

Q ビットポイントの仮想通貨不正流出事件のときはいかがでしたか。

「ビットポイントにハッキングがありました」という連絡を小田さんから受けました。聞いたことのない声のトーンで、私も頭が真っ白になりました。「藤本さんがビットポイントを信じて選んで顧問になってくれたのに、ハッキングされてしまって、藤本さんの仕事に影響が出るかもしれません、本当にすいません」と謝られました。声が震えていたので小田さんは泣いていたと思います。記者会見の現場にも行きました。何秒間もフラッシュがたかれるなかで頭を下げている姿を見るのは、つらかったですね。

Q 顧客への対応についてはどう感じましたか。

迅速だったなと思います。顧客資産を仮想通貨で返還するという判断は本当に早かったですよね。小田さんは慎重な方なので、過去のハッキングの事例を他人事にせず、自分だったらどう対応するかを事前にシミュレーションしていたんだろうなと感じました。

Q 迅速かつ真摯な対応ができたからこそ、顧客離れを起こすこともなく無事に事態が収束できた、という評価ができますか。

第三者的な立場としていうと、対応の早さはかなり評価できます。解約の数も少なく顧客が残ってくださったのも、対応が適切だったともいえます。

Q 普段の小田社長の印象を教えてください。

私が知っているなかでもいちばんのポジティブ人間ですね。言葉を選ばずにいうと、回路がぶっ壊れているのかもしれない（笑）。「これ小田さんすごい落ち込むだろうな」と思うことでも、一度は落ち込む感じを見せるんですけど、1日経てば思考を変えて「頑張るぞー」って言っているんです。これをバネにさらに成長するんだって感じ感じで……。苦労を苦労と思っていない方なのだと思います。仮想通貨のハッキングがあってもめげなかったのは、小田さんが生粋のポジティブ人間だったからでしょうね。周りが落ち込んでいるときも「自分だけは元気になったほうがいい」と思って、ポジティブに振る舞っていることもあって、でもそれがかえって周りの人には能天気な人に映るときがあるみたいです。社員の皆さんと小田さんとの関係を保つのも私の仕事なので、「能天気に見られちゃうことがあるから、もっと小田さんのことを知ってもらえるよう、コミュニケーションをしたほうがいい」とアドバイスをしたことはありますね（笑）。

気遣いも尋常じゃないです。魔法かなと思うくらい。会食のときも、私のちょっとした表情や動きにも注目していて、「ビールですか」「温かいお茶ですか」「少し寒いですか」って、こちらの思っていることを読み取っているかのように汲んでくれるんです。気配りの細やかさは、本当に私も見習わないといけないな、とよく感じていますね。

Q 仮想通貨の今後の展望と、そのなかでのビットポイントやリミックスポイントの未来について教えてください。

仮想通貨に関しては、まだまだ開拓途上の分野です。量的緩和以降、アメリカでもテスラをはじめ大手企業もビットコインを買い始めたり、明らかに2020年以降、保有人口も増えてきてはいるものの、まだまだ「とりあえず持っておいたほうがよさそう」くらいの認識の方が大多数だと思います。仮想通貨取引所の現状を話すと、ようやく黒字の企業も目立ってきたものの、赤字状態を長く耐えてきた会社が多いです。ようやく金融庁から許可を得て新しく開設できたところも、なかなか顧客が定着せず困っていたり、泣く泣く事業を売りに出したりするところもあります。注目されているときは景気がいいのですが、世間の目が離れてしまうとまだまだなんですよね。波に左右されやすい分野だと思います。そういう意味では、仮想通貨の世界は決して楽観視できる状況ではありません。そんな状況だからこそ、勝負どころですし、ビットポイントにとってはさらに上を行くチャンスがあると思っています。ライセンスを持っているからこそできる独自のサービス提供は今後もたくさんリリースしていけますし、実際に今動かしている企画もあるので、流出事件から復旧して以降、先行きが明るくなっているのは確かです。コンテンツもリニューアルして、ユーザビリティは上がっているので、うまくいくと思っていますが、仮想通貨全体を考慮すると、ポジティブなだけじゃダメだなと。ここは小田さんの手腕が大きく関わってきますね。第三者目線で見て、金融庁からも信頼され、多くの顧客からも応援されている人と思いますから、そんな小田さんだからこそできるほかには真似できないことをたくさん実践していってほしいですね。金融庁から信頼されていると言いましたが、実際に流出事件のあとも良好な関係が保たれていますね。こういうところにビットポイントやリミックスポイントのすごさがあるので、もっとたくさんの人に知ってもらって、応援してもらいたいですね。

Q　最後に改めて、小田社長の魅力はどんなところにあるでしょうか。

4つ挙げるとしたら、常に三方良しの視野をもつ点、誰からも相談されやすい人柄、決断の早さ、純粋さでしょうね。

今の時代のリーダーシップで大事なのは、ただ短期的かつ独占的な利益を追求する事ではなく、長期的に社会全体にどれだけ還元できるかが重要になってきます。つまり三方良しの視野をもつ事は極めて重要だと考えます。また、誰からも相談されやすい人柄は人々からの信頼の裏返しだと思っています、その信頼があるからこそ、小田さんの場合、普段では考えられないような相談が舞い込んできます。その相談から大きなビジネスにつながることが多々ありますが、それも小田さんだからできることですね。決断の早さは企業が大きくなればなるほど厳しくなりますが、小田さんは決断が早くすばらしいと思います。最後の純粋さについては、魅力ではあるんですが弱点でもあるのかなと時々感じています。周りから「ただの能天気野郎」って思われていることもあったりで（笑）。でもその人間性があるから、過去のつらい時期でも、みんな乗り越えてこられたのかなとも思いますね。そういった面も含めて、慕われ頼られる存在が小田さんなんでしょうね。

第4章

選んだ道を正解にしろ

再生に必要なのは「型」にとらわれない経営

すべては「自分事化」から始まる

他人事では成功できない

私はこれまで学生マーケティング、起業家支援、事業再生、そして会社経営を通じて、事業をマイナスからゼロ、そしてプラスの状態へともっていくための真髄を、成功や失敗を繰り返しながら身につけてきました。

その経験から導かれたのは、「再生できないものはない」というシンプルな結論です。月並みな言葉かもしれませんが、諦めることさえしなければ、人は必ず這い上がることができます。これは不変の真理であり、企業にも人生にも共通していることです。

ただし、再生を遂げるのには、欠かすことのできない前提条件があります。それは、当事者が「自分事化」できていることです。

「自分事化」とは、一言でいうと、熱中して取り組めるとか、考えただけでワクワクできる、という状況に自分の意識をもっていくことです。心のなかから湧き出てくるエネルギーに突き動かされながら行動すれば、私たちはどんな苦境も乗り越えることができ、たとえマイナスの状態からでも、プラスの状態へと再生することができます。

事業の話でいえば、「儲かるから」とか「トレンドだから」という理由で、自分の感情を無視して事業に飛び込む人を、私はこれまで何人も見てきました。そういう人に事業アドバイスや投資をしても、ほとんどが長続きせず、早々に事業を諦めるという結果に至っています。その原因は、事業に携わる人が、自分事化するという意識で取り組めていないためであると考えられます。

マイナスからゼロの状態へもっていったり、あるいはゼロからプラスの状態へもっていったりするには、自分事化は欠かせません。自分事化することで初めて、成長させていく力や、加速させる力を得られるのです。

起業家支援時代に、「私はどうすればいいのでしょうか」という漠然とした相談をしてくる経営者がいましたが、そういう人の成功はまずあり得ません。自分事化できていたら、そのような発言など絶対にあり得ないからです。

私自身、事業や投資に関しては自分事化できますが、例えば料理は滅法苦手で、いつも他人事、人任せにしています。ですから料理を楽しく感じられませんし、一向にうまくもならないわけです。一方で、料理が大好きな人は、自分事化していろいろ考えながら熱中して取り組むでしょうから、楽しくて仕方がないですし、やればやるほど上達していきます。仕事も勉強も事業も、すべては自分事にできるかどうかにかかっています。他人事な態度で取り組んでいたら、成功できるものもできません。ですから、自分事化する意識をもつことや、なるべく自分事にできることから取り組むことが、成功や再生へ至る筋道となります。

自分事化できていれば能力は関係ない

私が社長の立場でありながら、具体的な指示やノルマを出さず、事業着手から計画実行までほぼすべて社員に任せているのも、社員それぞれに自分事化してほしいという気持ちがあるからです。

誰かから言われて関わっても、それは作業にしかならず、どうしても他人事のままに終始してしまいます。次から次へとアイデアや、やりたいことが湧き上がるわけではないですし、腕が磨かれることもないので、上昇気流に乗れるような成功体験は得られません。

何事も、計画どおりに進むことはまずあり得ません。想定していない課題には必ず直面することになるので、そのときに臨機応変な対応ができるかどうかは、自分事として取り組めていることが鍵となります。関わる人が自分事化でき、主体性をもって取り組むことが、事業の成功確率を上げる鉄則なのです。

ですから事業を興す際は、私自身がやりたいことを重視するのではなく、関わる人が「これをやりたい！」と提案してくれたものから取り組むようにしています。あるいは、事業の可能性を伝えて、社員がやりたいと自ら手を挙げてくれたら、取り組んでもらうようにしています。

自分だけがやりたいと思って強引に進めた事業では、誰も共感させることができず、ワクワク楽しく取り組んではもらえません。必然、顧客の満足度も上がらないので、うまくいかないのです。

事業を始めてもらううえで、能力は度外視し、自分事にできるかどうかだけにフォーカスしています。きちんと自分事にできていれば、知識やノウハウはあとからついてくるので問題ありません。

逆に言えば、いくら能力のある人でも、いつまでも他人事が抜けないようだと、まったくうまくいきません。世の、才能に恵まれながらもなかなか結果に結びつかない人というのは、おそらく、自分事化できておらず、周りに言われるがまま嫌々やっている部分が強いから、低空飛行のままで終わってしまうのでしょう。

自分事化するためのヒント

他人事のまま右肩下がりでい続けるか、自分事化して伸ばしていけるかは、ふとしたきっかけで変わります。私も、いつか何かをきっかけにして、突然料理に目覚め、自分事化して取り組めるようになるかもしれません。

他人事から自分事へ意識をもっていくには、それぞれの経験してきた生き方や、何を大事にしているかの価値観が大きく関わってくるので、明確な回答はなく、とにかく自分の内面を見つめることでしかなし得ません。

知り合いの、なかなか仕事に熱心に取り組めなかった会社員は、給料体制を固定ではなくインセンティブ制に変更することで、一気に仕事を自分事へもっていくことができ、成果を出せるようになりました。このようにマインドやルールのセッティングを一つ変えるだけで、自分のなかにある自分事化の仕組みが整い、結果が大きく変わっていくケースもあります。

再生においては、特に自分事化が必須となります。他人事でも人生や仕事はなんとか凌いでいけるかもしれませんが、マイナスからのスタートとなる再生においては、他人事のままでは命取りです。必ず自分事化する意識をもち続けましょう。

エネルギー関連事業の一環としてスタートした電力小売事業

電力小売事業参入への経緯

ここからは、リミックスポイントの各事業の立ち上げ経緯や詳しい内容を通して、当社が再生に至ることのできた要因について探っていきます。まずは電力小売事業についてです。

2014年頃、エネルギー事業部の省エネコンサルチームの社員から「小田さん、うちで電気も売りませんか」という提案があったのをきっかけとして、当社は電力小売事業へ参入するようになりました。

当時、すでに中小規模の工場やビルなどの高圧区分については、電力小売自由化が実施されていましたが、私を含めた多くの方が、「電気を購入して売る」という概念にピンとはきていませんでした。

電力事業について簡単に説明すると、まず電力の供給には、火力や原子力などを利用して電気をつくる「発電部門」と、電気を電線や変電所を経由して各所へ送配する「送配電部門」、電力を発電部門から調達し消費者と直接やりとりして各種手続きを行う「小売部門」、以上の3つの部門で役割が分かれています。電力小売自由化とはこのうちの、電力の販売店に当たる小売部門について、事業者が自由に参入できるようになったことを意味しています。

つまり、消費者がどのような事業者と契約するにせよ、発電部門や送配電部門はこれまでと同様のパフォーマンスが約束されており、電力小売事業者を替えた途端に電気が届かなくなったり、安全性が損なわれたりするような心配はないわけです。

2016年の4月からは、いよいよ低圧区分での電力自由化が開始され、一般家庭でも電力会社を自由に選べる時代が到来しました。これまで、東京に住む人は東京電力、大阪に住む人は関西電力というように、契約できる電力会社が地域ごとに決まっていたのが、消費者それぞれのライフスタイルや価値観に応じて決めることができるようになったのです。

このタイミングで名乗りを上げることは、リミックスポイントの事業の幅を広げていくうえで非常に重要な意味をもっていました。しかし一方で、「すでに大手電力会社が市場を支配しているなかで、当社のようなゼロベースから事業を構築していく会社が、果たして生き残ることができるのか」という懸念もありました。

1位を目指す必要はない

結論を先にいうと、この懸念はたいしたものではありませんでした。

参入当時、競合の電力小売事業者は200社以上とたくさん存在しましたが、実際にマーケティングを行ってみたところ、当社の競合となるのは6社から8社程度であることがわかりました。

当社はゼロベースで立ち上げる完全独立事業者であり、既存の顧客がいないという弱点がある一方で、しがらみが少ないというメリットもありました。

しがらみというのは、例えば、親会社が発電所を持っている電力小売事業者は、その発電所から多くの電力を仕入れないといけない、といった組織的な束縛です。当社はそういった束縛がいっさい存在しないので、本当の意味で自由に、電力の卸売市場「ＪＥＰＸ（一般社団法人 日本卸電力取引所）」から安価で電気を調達し、消費者へ低価格で販売できるのが強みになると、当時、分析することができていました。

太陽光発電が日本中に普及し供給過多となっている現状が示すとおり、再生エネルギー由来の電力の仕入れ値は下落傾向です。一方で、火力発電由来の電力は、燃料高騰の影響もありコストが高止まりしています。ＪＥＰＸからの仕入れがメインの当社にとって、このような相場は心強い追い風ととらえることができます。

また、「必ずしも電力小売事業者の上位を目指す必要はない」というのも武器になりました。具体的には、電力の販売量に関して全事業者中30位くらいを目標とし、トップ10に入るとか、ましてやナンバーワンを狙って営業する必要はないと考えています。

というのも、そもそも当事業部は省エネからスタートした部門であり、エネルギー全般を専門としていて、たくさん電力を売らないといけない、というわけではないのです。一例として、省エネ商材の一つとして当社では家庭用蓄電池を取り扱っています。消費者に対して「電気代を抑えるために、蓄電池を置いてみませんか」という提案もできるわけで、電力の販売だけにこだわる必要はありません。

こういった当社ならではの武器を駆使すれば、安定して売上を伸ばしていけるという見通しを立てることができました。「ライバルが600社も、しかも大手企業ばかり」と机上のデータに臆することなく、果敢に挑戦したことが実を結んだわけです。下調べを徹底し、現場の実際の温度に触れることで、勝機のイメージが現実味を帯びていったからこそ、電力小売事業は当社の大きな売上の柱となってくれています。

電力小売事業の役割は、電気を売ることだけではない

どこにでもできそうに見えて、どこにもできないこと

電力小売事業者は、顧客確保と事業拡大のため、それぞれの持ち味を活かして営業活動を行っています。例えば電力小売事業に参入したガス会社は、電気とガスのセットで月々の料金をお得にできるプランを設けたり、インターネット通販会社なら電気料金に応じて

通販サイトのポイントを付加して買い物をお得にできたり、といったキャンペーン施策を講じています。

当社も、エネルギー関連事業からスタートした経緯を持ち味として、単に電力を販売するだけでなく、先ほども紹介した蓄電池に代表されるような、省エネ関連の商材をお客さまにご提案しながら、事業展開しています。

他社にはない独自の料金設定をしているのも当社の特徴です。

電気料金の内訳には「燃料費調整額」と呼ばれる項目があります。これは、原油やLNG（液化天然ガス）、石炭など、常に価格変動がある燃料の価格を電気代に速やかに反映させるための項目です。

燃料費調整額はもともと電力会社が経営難で潰れることのないようにつくられたものです。もしこれがなかったら、各消費者に請求する電気代は一律的となってしまい、燃料が高騰してしまったとき、経営が圧迫され、電力を思うように供給できなくなるリスクを抱えることになってしまいます。燃料費調整額は、電力会社が安定的に黒字を出し、安定的に電力を供給するために必須の項目なのです。

この燃料費調整額は、電力小売事業者がそれぞれで自由に設定していいことになっていますが、経営圧迫のリスクを抑えるため、多くの業者が大手電力会社の発表している燃料費調整額をそのまま採用しています。

一方、当社では、高圧では大手電力会社の燃料費調整額は採用せず、独自の算出方法を用いています。

電力小売事業は、いくらで仕入れて、いくらで売るかの世界です。電力が先々いくらくらいで仕入れられ、燃料費調整額がいくらになるか、将来を見据えながら計画的に電力を売らないといけません。この予測にブレが生じて、例えば想定していたコスト以上に仕入れ値がかかってしまうと、赤字になってしまいます。大手電力会社がはじき出した信頼性の高い燃料費調整額といえど、時には大きな赤字を出すこともあり、これが原因で事業撤退した新電力もいくつか存在します。

当社は、独自の計算方法で燃料費調整額を計算することで、赤字になるリスクを抑えることに成功し、安定的な運営を実現しました。

こういった独自のノウハウを駆使することで、他社にはない攻めた価格で料金プラン提供をできているのが、当社の電力小売事業の特徴です。

ほかにも、しがらみの少ない当社ならではの、エネルギー産業の変化に応じたお得なプランの提案を、随時行っています。

２０２０年12月から２０２１年1月にかけ、ＪＥＰＸにおいて電力調達価格の著しい高騰があり、電力小売事業者が電力の仕入れに苦しみ、さらには電力の消費者である顧客が大きな負担を背負わされるかもしれない異常事態が発生しました。これにも当社は迅速に対応し、お客さまの負担を緩和させる新しいプランを提供することで、リスクを最小限に抑えることができました。

情報が整理周知されるほど、電気の未来は明るい

電力小売事業はまだまだこれから成長していく、伸びしろの大きな分野です。

一般消費者層では、電力小売自由化に伴い切り替えを行った方が、地域によって差はあるもののまだ2割から3割程度といわれています。未開拓の潜在需要がどれだけ存在するかをうかがい知ることができるデータです。

また、日本国内の電力マーケットは年間16兆円にものぼると試算されています。このうちのたった1％のシェアを取るだけで、１６００億円という規模ですから、電力小売事業

の未来が明るいのは確実です。

当社基準でいえば、２０２０年度の電力小売事業の売上は１００億円ほどとなっており、今後も期を追うごとに売上は伸びていくものと予想されます。

利益を追い求めるだけでなく、消費者のコスト負担の軽減のためにも、そして地球環境のためにも、より多くの方々に電力自由化に関する知識を高めてもらうことが、私たち電力小売事業者の役割でもあります。

例えば、また電気料金の話になりますが、電気使用量の明細のなかに「再生可能エネルギー発電促進賦課金」、通称「再エネ賦課金」と呼ばれる項目があります。

これは電気を使用しているすべての人にかかる、いわば電気使用税のようなもので、要するに「これから自然に配慮した再生可能エネルギー主力電源化に向けての取り組みに力を入れていくので、寄付をお願いします」という名目でつくられた、再生可能エネルギー発電を行う事業者を支援するための、電気代の上乗せ金です。すべての使用者に課せられていますから、企業でも個人でも、電気使用量に応じて負担しています。

この再エネ賦課金、２０21年4月時点では、１ｋＷｈ（キロワットアワー）あたり2・98円です。４人家族であれば月５００ｋＷｈほど使用するのが一般的とされているので、月あたりおよそ1500円、年間にして1万8000円程度負担している計算になります。おまけに単価は毎年値上がり傾向で、将来的には1kWhあたり4円を超えるといわれています。

この話をすると、「知らない間に電気に追加税がかかってて、しかも増税傾向なのか」と驚かれる方も多いです。正確には税ではありませんが、正しく認知されるよう十分な説明がされているものではありませんし、負担する側にとってはそのような感覚になるのも仕方のない話です。

ですから、これから電気料金の負担を軽減するために電力会社を切り替えるのであれば、単に電気使用量に対する電気料金が安いところを探すよりも、電気使用量そのものを減らせるプランまで考慮してくれる事業者のほうが、より企業や家庭の経済を助けられるという見方ができます。電気使用量を減らせば、地球にも優しい仕組みが構築できます。

そういったお得なご提案が、これからよりたくさん届けられるよう、電力に関する情報の整理と周知は、私たち電力小売事業者にとっての責務であると感じています。知識が広まれば広まるほど、車選びやインターネット通信会社選びのように、電力会社選びを自発的に行ってくれる人が増えていき、電力業界全体の活性化につながっていくことになるでしょう。

当社では引き続き、電力小売事業者のくくりに収まらず、エネルギー関連事業者として、地球環境への配慮など当社らしい発想を活かした商品を低負担でご提供するとともに、これからもお客さまのご要望に合わせたサービスや商品をトータルでご提案していきます。

Column 02

リミックスポイント・インタビュー

中込裕司氏　株式会社リミックスポイント　エネルギー事業部　事業部長

Q　リミックスポイントのなかでどのような役割を担っていますか？

エネルギー事業部で、企業の電力コストの削減コンサルティングや一般家庭向けに電力小売事業を営んでいます。お客さまの電気料金削減に貢献できるよう、低コストでの電力仕入れと販売を行う事業部で、部門長として総合的なマネジメントを行うのが主な業務です。

Q　電力小売事業の現状に関して、近年強く感じたことはありますか？

再生可能エネルギーに対する関心の高まりですね。政府が二酸化炭素などの温室効果ガスの排出量を2050年までに実質ゼロにすると宣言して以降、「発電時の二酸化炭素排出量が少ないクリーンな電力を契約したい」という考えをもつお客さまが、製造業や運輸業などの企業を中心に急激に増えてきました。「脱炭素」というキーワードは、これから社会の仕組みを大きく変化させることになると肌で感じています。私たちとしても、再生可能エネルギー由来の電力を調達したり、実質再生可能エネルギーの電力をお客さまに販売したりする体制をいち早くつくっていくようにしています。

Q 「実質再生可能エネルギーの電力」とはどういったことでしょうか？

現在、国内の再エネに関する制度は非常に複雑でして、「再生可能エネルギー」「実質再生可能エネルギー」「FIT電気」など、意味は異なるものの類似した用語が多数存在しています。これらの用語を理解するにはFIT制度（再生可能エネルギー固定価格買取制度）について触れておく必要があります。FIT制度とは、国内の再エネ普及を後押しするために導入された制度で、この制度を利用する再エネ発電事業者は、国に市場価格よりも高値で長期間（10～20年間）電力を買い取ってもらえます。

この制度によって日本各地に太陽光発電所の設置が進みました。一方で市場価格を超える買取にかかる費用は広く「国民負担」とされ、再エネ賦課金として私たち一人ひとりの支払う電気料金にＦＩＴ賦課金という名目で上乗せ徴収されています。そのためＦＩＴ制度を利用する発電所でつくられた電気（ＦＩＴ電気）の「環境価値」は、費用負担する利用者に広く帰属することになり、販売される電気から切り離されているんです。そのためＦＩＴ電気は、制度上は再生可能エネルギーとみなされません。一方でＦＩＴ電気から切り離された環境価値は「証書化」により見える化され、取引できるようになっています。この証書を「非化石証書」といい、その売上はＦＩＴ賦課金による国民負担の軽減に充てられています。

当社は需要家に販売する電力の一部を日本卸電力取引所（ＪＥＰＸ）から調達しています。ＪＥＰＸで調達できる電気は電源種を選ぶことができず、再エネ発電や火力発電などさまざまな電源由来の電気を購入するしかありません。そこで前述した非化石証書と組み合わせて、本来電源種は特定できない（＝再生可能エネルギーとはいえない）電気に、環境価値を証書という形で付加して、実質的に再生可能エネルギーが実現されたとみなすことが認められています。これが「実質再生可能エネルギー」なんですね。私たちは現在、非化石証書をできる限り安く、お客さまへ販売する仕組みをつくろうと動いています。

Q　電力小売事業というのは、電気を仕入れて売るという形態だけを見ると簡単な事業と思われがちですが、実はいろいろな苦労があるのですね。

一見簡単そうに見えて、さまざまな苦労がありますね。立ち上げ時は特に苦労したと思います。例えば電力の需給管理業務は非常に専門的な業務でして。電気の供給には同時同量というルールがありまして、需要家の使用量と発電量を30分単位で合わせないといけません。そうしないと最悪の場合大規模停電が起きてしまう仕組みです。2018年に発生した北海道胆振東部地震では、火力発電所が緊急停止したことで同時同量の均衡が崩れて、一部で数日間にわたり大規模停電が起きてしまいました。そういう事態が起きないよう、私たち電力小売事業者も、自社のお客さまが明日どれだけ電気を使うか、その分をどこからどれだけ調達するのかという計画をつくり、電力広域的運営推進機関という団体に提出しています。需給管理業務は確かなノウハウがないと難しいので、システムを自前で用意できないところは他社に委託するわけですが、そうなると需給管理業務にかかるコストが割高になり、その負担が電気料金に悪影響を与えることもあります。私たちは完全独立系で、需給管理も自前でやっているので、これらのコントロールは自分たちでできます。お客さまへの負担を軽くすることができますし、自由度の高い事業ができている点も、私たちの強みになっていますね。

Q 中込さんがリミックスポイントに入社した経緯を教えてください。

10年ほど前に小田さんと一緒に従業員100人くらいの会社を経営していました。その後、私は7年から8年ほどインターネット系のビジネスを数人規模でやっていたのですが、その時期も小田さんとは定期的に会っていました。にぎやかな組織を経験したあとに、パソコンに1日中向かっているような仕事に就いて、両極端な環境を経験してきたなかで、自分はどちらに向いているだろうと考えたとき、やっぱり組織のマネジメントだなと感じるタイミングがありまして。その話を小田さんにしたところ、「うちに来ませんか」と声を掛けてもらい、2019年に入社しました。

Q 普段の小田社長についての印象を教えてください。

仕事ではあまり感情を表に出す人ではないですね。理詰めタイプに見られがちのようですが、私はそうはあまり感じていません。理屈では説明できない別の発想や感情があるように思います。データが目の前に出揃っていて、数字を見ると明らかに結論が出ていることに関しても、「いや、もしかしたらこういうのもあるんじゃないか」というような話をされて、小田さん以外の人間からしてみれば「え？　どういうこと？」という感覚なのですが、後々それがけっこう当たることが多いです。直感が鋭いですね。

Q 小田社長の強みとはどんなところにあると思いますか。

新しいことを始めようというとき、必要なパートナーとか、助けてくれる人を探し出すセンスが抜群に良い人だと感じます。強みとは逆の話になりますが、自分の弱みをよくわかっている、限界を知っている、といえばいいのでしょうか。小田さんには小田さんの得意分野、誰にも負けない強みがあります。一方でそうではない不得意な分野については、人を頼りますし、口はいっさい出さず、その人が気持ちよく任務に専念できるような環境をつくるのが、小田さんのポリシーじゃないかと思いますね。しかもスピーディーですし、大きなスケールで動かしていくのも、小田さんの強みです。

Q エネルギー事業部に対しても、小田社長は任せるのが基本姿勢ですか。

そうですね。わりと自由といいますか、事業部に多くの権限や裁量を与えてもらっています。重要な局面は相談しますが、事業部の判断で物事を進めることも多い会社ですね。電力分野は特に、事業環境が1日単位で目まぐるしく変化していますので、その都度小田さんに相談するのは物理的にも難しいですし、その必要もないのかなと思っています。そのような事業の進め方をしていて、衝突したことはないですね。

Q 多くのことを事業部に任されるプレッシャーというのはありますか。

私個人の話をしますと、任せてもらえることの責任というのは感じますが、同時にやりがいも感じています。この感覚が全員に広がった結果、現在のリミックスポイントのあり方、というものが出来上がったのだと思います。小田さんは経営者ですから、当然事業の進め方や企業としての方針に指示を出したい欲求があるとは思いますが、では経営者とはそもそも、一つひとつの事業について現場の人間より詳しくなれるかというと、そうはなれないですよね。だから小田さんは一歩引いて、現場の意見を立てて、プラスして社長だからこそできる足りないところの補完をしていく、という考え方があるのではないでしょうか。そういった後ろ盾みたいなものがあるからこそ、私たちもアグレッシブに攻めていけるのだと感じています。

Q 仮想通貨不正流出事件の際は、エネルギー事業部のなかで動揺や不安といったものは広がりましたか。

実は思っていたほど、そういった動揺というものはありませんでした。仮想通貨とエネルギーはスタッフ同士もほとんど面識がないので、事業部からすると遠くの出来事のような雰囲気もあったかもしれません。額が額だけにどうなるだろうとは感じていましたが、私たちの事業部で会社を支えていこう、めげずに頑張っていこう、といったコンセンサスはとっていました。私はまだ在籍して日は浅いですが、もっと長くいる社員は、よりその思いが強かったのではないかと察します。小田さんだからこそついていく、という人も多いというのを、あの事件で再認識しました。

Q 最後に改めて、小田社長の魅力について教えてください。

かつて同じ経営者仲間として肩を並べていたせいもあるかもしれませんが、あまり社長という気がしませんね（笑）。引っ張っていくようなタイプではないですし、がつがつものを言うほうでもありません。現場から1カ月や2カ月離れても支障はない、そういった組織体制を当社は築いていますが、事業が停滞しているときなどに、何が足りないかをアドバイスし補完してくれるのが小田さんの魅力といえます。私個人の感想ですが、小田さんは私には見えていないものが見えているんだろうな、と感じることがしばしばあります。だからこそ、小田さんのいうことは正しいんだなと納得できます。意見が割れることなどほとんどありませんが、仮に意見が割れたとしても、「社長がそこまで言うなら、そっちが正しいのだろう」と納得できる魅力というか、カリスマ性みたいなものがありますね。

「現場感」が事業を上向かせる第一歩

正解は現場にしかない

当社にとって電力小売事業は、当時売上の目処がまったく立たなくなってしまったリミックスポイントの、再生の切り札ともいうべきものでした。

当初は幹部会議で「うちみたいな規模の小さい企業が、電力なんてライバルの多いところにあえて飛び込む必要はない」というふうに言われたこともありました。

しかし実際に、知識を仕入れ、足元のマーケットをよく眺め、既存の参入企業がどのように事業を動かして売上を出しているのかを把握し、最新の情報をヒヤリングしていくことで、「これは生き残れるのではないか」という確かな感触をつかむことができました。当社がこれまでに培ってきたエネルギー関連事業という強みと組み合わせることで、差別化ができるというのも、勝ちへのロジックを見つける材料となりました。

結果、当社の強みを十分に発揮させた事業展開ができており、売上を順調に伸ばすことに成功、今後も安定した収益を会社にもたらすことができるという予測ができています。

このように、事業の現実を正しく感じ取って、業界のことを熟知することで、初めてその事業がうまくいくかどうかの境目が明らかになってきます。決して机上の空論、会議室の話し合いだけで物事を判断してはいけません。成功するか失敗するか、再生できるか再生できないか。すべてを決定づけるのは「現場感」であることを覚えておくべきです。

まずは自分だけで売上を出す

事業支援や事業再生に携わってきたなかで、現場感をまったくもっていない、非現実的で、地に足を付けていないような経営者あるいは投資家に、何人も出会ってきました。「これからマーケットが向いてくるはずだから」という、根拠に乏しい理由だけで事業に飛び込む人がいます。それだけならまだいいのですが、どれだけの売上や収益が見込めるかといった現実的な予測立てもなしに、支援や投資を要請してくる人がいるのは困りものです。私が「立ち上げ半年でどのくらいの売上が見込めそうですか」「考えられる支出にはどういったものがありますか」といった具体的なデータを求めても、返事をごまかしてしまうような人は、「現場感がないな」と察し、支援や出資を遠慮していました。

この手の現場感がなく具体的な数字を出せないタイプというのは、会社を飛び出し一念発起で独立した人にありがちです。「こういう事業を独立してやりたいんです、だから協力してください」と勢いだけはいいのですが、現場感が足りないため売上を出すまでのビジョンが明確化されていません。そこで、こういった現場感がない方には「ではまず自分で売上を出してみることからやってみてください」というアドバイスから始めます。

大規模な投資というのは、事業を加速させるための単なる装置です。いきなり出資を受けなくても、小さい規模からコツコツと、低速ながらも事業の展開はできるものです。

しかし、このコツコツの段階で、多くの方が挫折を経験します。思っていたように売上が出せないという苦しみを味わうのです。事前のイメージと現実とのギャップを味わい、その埋め合わせをすることが最初の山場となります。

少額でもいいので、まず売上を出す。この初めの一歩の苦労を経験することで、現場感の大切さが身につきます。同時に、一つひとつを積み上げて結果を出していくために必要な、現実的な目標や行程も明確化できます。

そのうえで支援や投資の話をすると、より具体的に進めていくことができるので、私も投資への気持ちを強くすることができました。

再生できない人、投資してもらえない人は、資金調達活動ばかりしていて、まったく現場感をもち合わせていません。これでは土俵にさえ上がれていない状態ですので、事業を上向かせることなどできるわけがないのです。こういった人の割合は意外と多く、私のところへ相談に来られた方の7割程度が該当しています。

現場感の「抜き打ちチェックテスト」

自社で新しいことを始めるときも、現場感は大事にしています。

事業の細かいプランや目標については社員に任せていますが、きちんと現場感をもって取り組めているかどうかの確認は、必ず行うようにしています。業界の細かいところを私なりに下調べし、抜き打ちチェックテストのようなかたちで私から質問を投げかけるのです。これにきちんと真っ当な回答ができるかどうかで、現場感の有無が見えてきます。

このようなやりとりを定期的に行うことで、「小田さんも、見えないところでいろいろ情報を集めているんだな」と思ってもらえ、私の質問に答えられるよう、社員もより現場感をもって仕事に取り組んでくれます。これが頑張りの源となり、事業を上向かせる大きな要因となってくれるわけです。

コロナショック前から始めていた感染症対策事業

感染症対策事業に着手したきっかけ

感染症対策事業は、省エネコンサルティング事業における防災事業の一環として、2019年9月頃より着手した事業でした。

2020年の東京オリンピック・パラリンピック開催にあたって、観光庁は4000万人の外国人観光客、いわゆるインバウンド需要を見込んでいました。残念ながら新型コロナウイルス感染拡大の脅威により、オリンピック・パラリンピックの2020年開催は断念することになりましたが、新型コロナウイルス感染症の終息に伴って、今後ますますインバウンド政策は盛り上がっていき、国を挙げての一大プロジェクトとして栄えていくことは間違いありません。

また、外国人技能実習制度の緩和によって、訪日する外国人労働者も今後は増加していくことになります。

「これから海外との直接的なコミュニケーションがよりいっそう増えていくのだから、日本はあらゆる感染症の感染リスクにも備えておくべきではないか」という社員の発案のもと、スタートした事業でした。当初は、インバウンド需要や外国人労働者がピークを迎える数年後に花開けばいいかなという、長期的な展望を抱いていました。

ところが、コロナショックとともに、感染症対策は国内で一気に需要が高まるようになりました。社会の要望に応えるかたちで、当社でもより迅速に力を入れて事業展開をすることとなったのです。

スピード感あってこその成果

当社が感染症対策事業を始めた際、競合はほぼゼロに等しい状態でした。実際に取引先に感染症対策のコンサルティングを提案すると、「そんな事業があるのか」と言われるほどで、まったく注目されていない分野でした。

その状況がコロナショックを皮切りに一変し、いくつもの企業が感染症対策事業に取り組み、関連商材の取り扱いを行うようになったのです。

コロナショック前から事業を始めていた分、当社には確かなエビデンスをもった商材がたくさんそろっていることが強みでした。

例えば、抗ウイルス効果が期待できる商材はたくさんありますが、効果の度合いには差があります。当社は中立的な立場を貫き、科学的データを採取し、たくさんある商材のなかから本当に優れているものを選り抜いてお客さまへお届けすることに注力しています。ただ仕入れて販売提供するのではなく、俯瞰的なアプローチをかける行程を挟めるだけの環境を整えていたことが、コロナ禍において当社が感染症対策の牽引役として、高く認知・評価していただける大きな要因となりました。

「感染症対策事業なんて、すぐに結果が出るものではないし」と躊躇して事業スタートを先送りすることなく、リミックスポイントらしさの一つであるスピード感をもって進めていけたからこそ、社会の敏感な動きに臨機応変に対応することができたのだと思います。

正しい怖がり方を広めたい

以上のような実績もあって、２０２０年には、事業者の感染症対策に役立つ情報を発信する目的で開催した「ＳＴＯＰ感染症トーキョーサミット２０２０」の主催サイドを担うことができました。このイベントの反響は大きく、ほかの都道府県からも前向きなお声を掛けていただくことができましたし、また感染症対策の商材を扱っている企業からも多数アプローチがありました。

今後も、「感染症は人類が今最も優先的に解決すべき課題」という認識のもと、全国規模でこのような活動を続け、感染リスクとの正しい付き合い方を広めていく方向性でいます。感染リスクを完全に防ぐことはできませんが、ウイルス対策に効果を発揮する商材を正しく選び、正しく活用すれば、最小限に抑えることは可能です。効果の低いものも多く出回っているので、より質の高い商材を集めて提供するのが、当社の役目です。

事業者が感染症対策を実践するにあたっては、コスト負担に対するリスクが懸念材料となっていますが、国や自治体からの補助金も多数存在します。これらの制度面についても最新の情報を取り入れているので、事業に支障なく感染症対策を強化するといった、総合的な支援を行える点も当社の強みとなっています。

前述のとおり、これからますます海外から日本への訪問者は増えていくものと思われます。新型コロナウイルスの恐怖が終わったとしても、感染症対策の手を休めることはできません。事業に関わるすべての方が、感染リスクと上手に付き合い、安心して暮らせる世の中づくりに、当社は貢献していきます。

２０２１年4月現在、感染症対策事業の景色は目まぐるしく変化しています。関わる制度は常に見直しを図られていますし、商材の仕様も日々更新し、進化を遂げています。

このような状況は、トップダウン式の組織体制では対応が後手となり、社会の変化と需要の動きに乗り遅れてしまうことになります。この点、事業部の判断にほぼすべてを委ねている当社には追い風になっています。

社員が業務を自分事化して、社会の問題解決の先端にいるという自覚をもち、本当に良いものをお客さまへ届けたいという意識で進めてくれるからこそ、抜きん出た事業の成長が達成できているのです。

事業再生できる・できないのボーダーとは

「自分のため、会社のため」はうまくいかない

事業再生は、熱中して取り組むことができていれば、自ずと達成できるのが基本ですが、それでもうまくいかないケースというのもあります。ここではその「再生できる・できない」のボーダーについて考えていきます。

私がこれまで事業再生に関わってきたなかで強く感じていることは、利己的な意識で取り組んでいると再生成功に至ることはできないということです。

再生とは、マイナスの状態からゼロ、そしてゼロからプラスの状態へもっていくことをいいますが、このマイナスの状態になってしまった要因は、大きく二つに分けられます。

一つは、例えば不祥事によって一気に信頼や売上が落ちてしまったり、支えてくれる人が離れていってしまったりしたときです。当社では2019年の仮想通貨不正流出事件がまさにそれでした。ここでの対応を間違えれば、当社の信頼は地に落ち、支えてくれる人たちが離れていき、再生することなどままならなかったことでしょう。自己保身に走らず、

関係者の方々のことを第一に考え真摯に対応していった結果、再生への道を歩んでいくことが叶いました。

これらの不祥事によるマイナスでは、問題点にフォーカスし、改善し、関係者のフォローを徹底していれば、時間はかかるかもしれませんが再生は可能だということです。

もう一つのマイナスになる要因は、時代やマーケットの大きな変化によって、需要が著しく低下してしまった必然の結果によるものです。ケースの比率としては、不祥事によるマイナスよりも、こちらのほうが圧倒的に多いです。

会社を存続させるために、資金繰りに奔走する経営者がいます。私のところにくる投資の相談のなかにも、「事業の売上が落ちてきたから、会社の維持のためにお金を支援してほしい」といった内容があります。これはまさしく、経営者が「会社のため」という利己的な視点しかもたずに資金繰りに奔走しているパターンであり、ただ出資しただけでは単なる気休めであり、改善することはまずあり得ません。売上が落ちてきたことへの根本の解決法が見つかっていないからです。

「この事業は時代とのズレが生じているので、ここに投資しても改善の見込みはありません。新しい事業の柱を検討していくべきです」と伝えても、「ひとまず会社さえ存続できれば、なんとか盛り返しますから」と訴え出る経営者に、これまで何度か出会ってきました。もちろん挽回の一策を温めていれば望みはありますが、そのほとんどが、特にこれといった策をもってはおらず、その場しのぎの利己的な金策に走っています。

存在価値のない会社はなくなればいい

時代からそっぽを向かれて、事業そのものの成長が見込めないのであれば、支援や投資をしてもなんの意味ももちません。

結局のところ、社会から必要とされなければ、事業継続はできませんし、再生などもってのほかです。「この問題を解決するために、この事業は、この仕事は、世の中にとって必要なのです」という明確な理屈がなければ、事業の成長はあり得ないのです。

存在する価値がないと判断されたということは、その事業は再生ができないことを決定づけたことになります。

問題の根本の解決に迫らず、その場しのぎなことをやっていては、存在価値が高まっていくことはありません。そういう会社には「支援はできません」と私はきっぱり断るようにしています。

社会的意義を失い、存在価値がゼロとなった会社は、潔くなくなってしまったほうがいいと思っています。そのほうが世の中のためになると感じるからです。存在するべきでない無価値の会社を存続させることのほうが、社会のためにも、関わっている人たちにとっても、もったいない話だという考えです。

もちろん当社も例外ではなく、企業としての存在価値がなくなったら、存続させていく意味はなく、無意味な資金調達をしてしのぐような真似はするべきではないと考えています。だからこそ、価値を失わず、より高めていけるよう、常にベンチャーな姿勢でアンテナを張りめぐらし、新しいことにチャレンジし事業を広げていくことを重要なミッションの一つとしています。これを継続していくには、自分のため会社のためといった利己的な姿勢ではなく、「いかに社会問題解決のために活動できるか」という視点にフォーカスできるかにかかっています。

マイナスの状態から再生を遂げたいのであれば、社会的意義をもち、存在価値を高められることに力を注ぎましょう。決して、自分のため会社のためといった視点で動いてはいけません。

逆からいえば、存在価値さえあれば、たとえどんな困難があっても、再生できる可能性は十分にあるということです。そういった観点でいうと、自分事化して、他者への貢献意欲をもって取り組めるのであれば、どんな人生も、会社も、事業も、再生できると確信しています。

リミックスポイントも、もともとは「存在価値がゼロです」と突きつけられる寸前まで落ちた会社です。そこから、自分事化できる人と事業を集め、成長させ、現在に至っています。

常に自分の価値を提供する思考をもつ

「一緒に何かしたい」と思われる価値とは

これまで関わってきた事業を振り返ると、事業がどんな業種分野かよりも、「この人と一緒に夢を叶えたい」と感じる人と組むことを念頭に置くことで、たくさんの成功が得られていました。

このような気持ちにさせてくれる人は全員、私にはない価値をもっていました。そして反対に、私のもっている価値を相手はもっていなかったのです。ですから、私のもつ価値が加わることで、その人がやりたいことの質とスピードが高まり、成功確率を引き上げることができたという理屈になります。

お互いがもっていない価値をもち寄ることで、これまで単体ではうまくいかなかったことが、一気に改善します。

自分に足りない価値を周りの手助けで補いたいのであれば、まずは相手に「一緒に何かをしたい」と思ってもらえるよう、自分の価値を知り、こちらから先に相手に価値を提供する意識をもちましょう。

ここで気をつけたいのは、自分の価値を新しくつくるのではなく、自分がすでにもっている価値に気づくことが大切だという点です。

これまで多くの人を採用したり、事業再生や投資で人と会ったりしてわかったことなのですが、人はなかなか自分が本来もっている価値以外を伸ばすことはできません。短所を埋めることができるのは、学生時代か、せいぜい新社会人時代くらいです。20代半ばを過ぎると、よほどの強い原体験がない限りは、その人の性格や強みを変えることはできません。以前ある人に言われたことですが、花はもともとの花のとおりにしか咲きません。桜は桜の花を咲かせますし、ヒマワリはヒマワリの花を咲かせます。しかしなぜか、人は自分の花以外の花を咲かそうとして無理をします。このギャップで苦しんだり、つらい思いをしたりする人がたくさんいるわけです。自分の本来の価値とは違うところで頑張って、価値を活かせないことをやってしまい、そこにストレスを感じ、価値を発揮できない自分を追い込んでしまっています。

ですから、自分自身の価値が何かを理解し、その価値を最大化できる環境で活躍することが何よりも重要です。

自分の弱みや短所は改善できないと思ったほうがいいです。20代半ばまでに形成されたオリジナルの価値で勝負することになります。

仕事や事業で成功するには、自分のもっていない価値を補ってくれる人を巻き込んで、一緒にやっていくのがいちばんです。同じような価値をもつ人同士が集まっても、何も進みません。

自分の価値の見つけ方

自分自身の価値がわからない人は、次のように考えて、価値を見つけていきましょう。

まず、価値というものを難しく考えないこと。「営業力が全国ナンバーワン級」とか「160キロ超えの豪速球が投げられる」とか、そういった目に見えてすごいことばかりが人の価値ではありません。これまでの人生を振り返ってみて、人から感謝されたことや褒められたこと、自分でよくできたなと感じたものが、自分の価値のピースになります。

「優しい性格」とか、「物事をコツコツと進めていける」とか、「言われたことをちゃんとやる」や「新しいものを積極的に取り入れることができる」も、その人の価値になります。

例えば私は、同じ作業をコツコツ続けていくことにまったく向いていません。なので、そういった仕事を得意としている人と役割分担しながら組むことで、お互いの価値が活かされて、仕事が上向いていきます。

このように、あまり難しく考えず、周りの意見も参考にしながら、自分の価値を見つけ出していきましょう。

自分の価値を発掘するうえでもう一つ大切なのは、新しいことにも果敢にチャレンジしてみる姿勢です。

2020年から続く新型コロナウイルスの脅威や、あるいは2009年頃のリーマンショックのような、仕事や生活習慣を大きく変えざるを得ない事態に遭遇したときこそ、新しいことに挑戦する必要が出てきますし、自分が本来もっている価値に気づくチャンスととらえるべきです。「オンラインは苦手」とか「不器用だから新しいことに挑戦してもうまくいかない」とネガティブに考える人もいますが、これはただ何もやっていないだけです。自分の価値に気づいていない人こそ、とにかく新しいことにチャレンジしてみることが肝心です。

私のもっている3つの価値

ちなみに私の価値は以下の3つです。
1　お金集めが得意
2　仲間集めが得意
3　関わった人をワクワクさせられる

「そんな大金を短期間でどうやって集めたんですか」「こんなすばらしい人材をどこから引っ張ってきたんですか」と、よく周りから驚かれるので、お金集めや仲間集めは本当に得意なのだと思っています。また、人を自分事化させること、その人がやりたいことを引き出させること、モチベーションを上げさせることには自信があるので、人をワクワクさせられるのも自分の価値です。

この3つをひとまとめにすると、誰かが「やりたい！」と強く願ったことを、無理なく最大効率で実現できるよう支援することが、私の大きな価値だといえます。ですから、起業家支援とか事業再生に向いていると、自分で自分を分析しています。

逆に、これら以外のことはほとんど自分には向いていません。それでも十分に闘っていけますし、自分の価値を提供することに思考を集中させて、さまざまな成功をかたちにすることができています。

長所や強みは多いほうがいいと思っている人がいますが、これは間違いです。長所や強みが多いことに価値はありません。少なくてもいいので、自分の長所や強みを存分に活用して、価値をより引き上げていくことが何より重要です。そして、私のように、2つか3つ程度の価値でいいので、自分の価値を存分に活かせる環境に身を置くようにしましょう。

キャッシュフローを見ていれば経営は傾かない

流出事件で再認識したキャッシュフローの重要性

子会社ビットポイントジャパンで起きた仮想通貨の不正流出は、当社の今後を大きく揺るがすほどのインパクトを与える事態となりました。流出した仮想通貨の総額は30億円を超え、今後も事業を継続していくとした場合、50億円の資金が必要になると見積もりました。収益とファイナンスで50億円を工面することが可能であると判断できた私は、不正流出の対応に追われる緊迫した渦中にあっても、早い段階で事業の継続と、お客さまへの補償を決断することができました。

流出事件によって、7割以上のお客さまが離れてしまうことを覚悟していました。しかし、実際解約された利用者の数は数％にとどまり、事業を継続するのに十分な売上が望める、という予測を立てることができました。

経営において最も重要なリスクマネジメントはキャッシュフロー、お金の流れであると、これまで起業家の支援や事業再生に携わってきて、痛いほど感じていました。今も毎日必ず当社の現預金残高を確認し、経営状況と先行きの見通しを立てています。

もし、日々のキャッシュフローのチェックを怠っていたら、流出事件に際しての事業継続や補償に対しての判断は、これほど迅速には行えなかったことでしょう。お客さまへの対応は後手となり、信頼を大きく損ない、ユーザー離れを止めることはできなかったと考えられます。売上見込みが立たなければ、事業の継続を断念することにもなっていたかもしれません。

いつもは「この人とやればうまくいきそうだ」とか、「とりあえずやってみて、細かいところはやりながら考えよう」と、直感や成り行きに頼って経営を進めていくスタイルの私ですが、ことお金の流れに関しては、「なんとなく」の感覚でマネジメントをしていません。キャッシュフローによる定量的な現状分析があってこそ、事業の継続、傾かない経営を実現することができるのです。

価値のあるところを残しながら、マーケットの先を見る

「当社に投資をしてくれ」「事業再生のアドバイスが欲しい」という話が頻繁に私のとこ

ろへ舞い込んできます。

学生時代に起業していたときも、リミックスポイントの社長に就いている今も、変わらず判断材料としているのは、その会社の資産状況です。キャッシュフローがマイナスに振り続けていて、今後もプラスへ回復する見込みがない場合、私は投資や支援を断っています。

反対に、今後キャッシュフローが改善するかもしれないという売上予測ができれば、たとえ現状が悲惨な資産状況であっても、投資を決めたり、再生プランの構築を手伝ったりしています。この、売上予測の見立てというのは、業種によってさまざまであり非常にあいまいな部分ではあるのですが、マーケットの将来を見つめることで、今後価値が上がっていくかどうかの判断は可能です。

仮想通貨についても、確実にもう1回マーケットが上向くという確信があり、実際にそうなりました。この予測があればこそ、なんとか歯を食いしばり、キャッシュフローが崩壊しないと判断できる限りは、流出事件の苦境を乗り越えていく気持ちを捨てずにいられました。

キャッシュフローは工夫と頑張りさえあれば改善させることができます。シンプルに考えれば、価値のある部分を残して、価値のないところを削っていけば、徐々にプラスにもっていくことができます。事業再生においてはここが非常に重要な焦点となります。加えて、マーケットに将来性が見いだせれば、大きな飛躍も視野に入れることができるのです。

経営というのは、これ以上でも以下でもありません。経営に携わる者は、収入と支出のバランス、現金の流れを逐一チェックするべきです。キャッシュフローさえ良好なら、経営が傾くことはありません。会社経営だけでなく、自営業でも、家計でも、これは共通の真理です。

いいときほど、悪いことをイメージする

「うまくいかない」を前提に考えて動く

ビットポイントジャパンでの仮想通貨流出事件で改めて実感したのは、うまくいっているときほど、よりいっそう慎重になり、悪いことを想定しておくべきだという、経営者としては当然のようにもっておくべき発想の重要性でした。

仮想通貨交換事業の全盛期は、売上45億円で営業利益35億円という、非常に高収益な営業成績を出すことができていました。

そのときの私は「やっぱり勘違いしていたな」と、あとになって感じます。当時は何をやってもうまくいっていたときで、冷静な考えをもつことができていませんでした。「どこかに落とし穴があるのではないか」「現状に満足せず、セキュリティ面への投資をもっと増やして、リスク対策をよりスピーディーに進めるべきではないか」と、冷静に考えることができていれば、流出事件が起きることはなかったのではないかという反省があります。

本当のことを言えば、これらの悪い事態を想定する意識は、私が普段最も気をつけているリスクマネジメントの一つでした。すなわち、どんなことに対しても「このままうまくいくはずがない」「今後起こり得るリスクとしてどういうものがあるか」を想定し、うまくいかなかったらどういう対処をするかまでを、綿密に考えイメージするという姿勢です。

経営であれば、例えばキャッシュフローが好調に推移していたとしても、いつ暗転してもおかしくないというリスクを常に意識し、対処法を想定しておきます。キャッシュフローを安定させる一案として金融機関と話をして資金を得ることが第一に考えられるので、どういった経緯をたどっていけば借入できるかをイメージするところまで行うのが理想です。さらに一つの対策法のイメージが固まったからといって安心することなく、借入ができなかった場合の対処法も考えなければいけません。例えば売上を伸ばす方法はないかとか、削れるところは削っていこうといったように、思考を展開させます。

うまくいく可能性ばかり考えるべきではありません。何事もうまくいくためにやるのが当然ではあるのですが、基本はうまくいかないもの、思うようにいかないものです。ですから、うまくいかなかったときにどれだけ冷静に対処できるかが、すべてであると思いましょう。組織のトップであれば、よりいっそうその発想とパフォーマンスが、組織全体の評価と未来を左右させることになります。

悪いイメージをもつほど、成功率は上がる

私のリスクマネジメントを詳しく説明すると、まずは「こうなったらいいな」という明確な理想のイメージから行います。

何かのイベントを一つ開催するにあたっても、まずうまくいった理想の過程をイメージしています。そしてそのイメージの途中途中において、悪いほうへ転がったパターンを何

百とおりにも派生させ、その際の対処行動を考えます。「こうなったらよくないな」「こういう事態になったらこうしよう」と具体的にイメージし、事前に対処法を心得ておくのです。

このような何百通りものイメージ展開を、無意識に行えるくらい、この思考は私のなかで定着しています。時間や想像力が足りず、イメージが固まらないまま動くしかないときも過去には多々ありましたが、こういった見切り発車なパターンではたいてい失敗を経験しています。

私は普段「なんとかなるよ」と呑気なことばかり言い、のほほんとした態度でいることが多いので、私のことを能天気だと感じている方もいるようですが、実は頭のなかで夥しい量の、悪いほうへ転がったパターンを考えています。その悪いパターンの多くは実際には起こらないのですが、決して考えることが無駄だとは思っていません。失敗確率を少しでも下げるため、できる限りのことを想定し、事前に対策・準備しておくことで、小さな失敗の先に待つ確実な成功を手にすることができると知っているからです。

流出事件についても、以前より他社で不祥事が起きているのを見るにつけ、「もし当社でも流出が起こったら」という想定と対処法はたくさんイメージトレーニングをしていました。

起きないことがいちばんだったのですが、残念ながら、ビットポイントジャパンでも仮想通貨の不正流出が起こってしまいました。実は、最初の連絡を受けたとき、「これは記者会見をすることになるかもしれない、長丁場になるだろう」と覚悟し、あらかじめ買っておいた謝罪会見用のスーツを出し、髭剃りなどひととおりのものをそろえて、自宅を出ました。これらも事前に想定していた、流出事件が起きた場合の対処法の一つでした。

多くの方の期待を裏切ってしまい、深く反省しなければならない事態になりましたが、事前に最悪のイメージを想定していたからこそ、迅速な対応を行うことができ、事業を継続させることができたのだと思っています。

問題は必ず起こるし、必ず解決できる

うまくいかないとなると、途端にやる気を失ってしまい、諦めて思考を停止し何もしなくなってしまう人は多いです。しかし、問題なんて起きて当然ですから、そこからどうチャレンジして克服していくかが大事なのです。

私は成功確率の高くない人間で、失敗を経験せずすべてがうまくいったことなど一度も

ありません。だから問題は起きて当たり前と自覚していて、「次はどんなトラブルが待ち受けているだろう、どうやって乗り越えよう」と、待ち受ける試練を楽しむ感覚にすらなっています。

問題は必ず起こり、また、必ず解決することができます。これまで関わってきた事業においても、この視点や思考を大切にしていたからこそ、いくつもの再生を成し遂げてこられました。

Column 03

リミックスポイント・インタビュー

秋田真人氏　株式会社リミックスポイント　レジリエンス事業部　部長

Q　リミックスポイントのなかでどのような役割を担っていますか。

レジリエンス事業部（エネルギーソリューション事業部から2021年4月に改称）のなかで新しい事業を進めています。一つは蓄電池ですね。今後は家庭用も産業用も含めて、蓄電池は必須アイテムになると思うので、自社商品の開発・企画・販売事業を担っています。もう一つは感染症対策事業を2019年から始めています。新型コロナウイルスの影響で社内外で一気に関心が高まっていまして、今はこれに力を注いでいるかたちになりますね。僕は名古屋の営業所がメインで、東京と名古屋を行ったり来たりしています。

Q 感染症対策事業については、2019年の立ち上げ当初は時間をかけて伸ばしていくプランだったそうですね。

エネルギーのコンサルティングの一環というかたちでしたね。営業部としてはやることは一緒ですから。業種業態によって、どうやって正しい感染症対策をするのか、知識さえつければ、あとは営業の仕方は省エネと同じです。だから相性がいいと思って、感染症対策事業立ち上げの提案をしました。まさかいきなりこれほど注目され、独立したセグメントとして進めていくことになるとは思いませんでした。

Q 小田社長は、当初から感染症対策事業に力を入れていく予定というのはなさそうでしたか。

役員会で「感染症対策事業をやります」と話しても、誰からも質問も意見も出なくて、スルーで終わりました（笑）。反対がなかったので、自由にやらせてもらいました。まあこれは当社らしいといえば当社らしいのですが。チャレンジすることに対して反対されることはまずありません。小田さんが切り込んできたのは、やはり新型コロナウイルスがきっかけですね。2020年の3月頃です。こちらの思うようにやりたかったので、小田さんが深く関わってくるのは最初は嫌でしたけれど（笑）。今はすごく助かっています。社長の人脈で、私たち事業部員だけでは実現できないイベント（「STOP感染症トーキョーサミット2020」）も開催できました。反響は大きくて、事業展開が加速しました。

Q 秋田さんがリミックスポイントに入社した経緯を教えてください。

2013年に、新規事業の省エネのコンサルチームの一員として、他社から合流するかたちでリミックスポイントに入りました。前職も立ち上げから関わっていたので、やることは同じだと思いましたし、漠然とやれそうだなと思い入社しました。入社当時の社員は、社長を含めて5人でした。当時の小田さんはその頃はまだ社長ではなく、社外取締役というポジションで参画していましたね。その年の上期が終わった段階で売上が数百万円程度しかなく、事業も何もないというような悲惨な状況で、このままだと上場廃止という瀬戸際での入社でした。

Q　入社当時から小田社長と交流はありましたか。

ほとんど交流はありませんでした。小田さんは事業再生、私は新しい事業の立ち上げで、それぞれ別のミッションのなかで動いていたので、絡むことがありませんでした。逆に今は感染症対策事業関連の動きが活発なので、頻繁に連絡は取り合っていますね。今現在だけでいえば、社長とのコンタクト数は社内でいちばん私が多いんじゃないでしょうか。

Q　「2018年までに時価総額1000億円超え」という目標は、直接小田さんから聞きましたか。

聞きました。「何言ってんだこの人」って思いましたね（笑）。その前に売上が1億円を超えないと潰れますけれどって。現実味なんてもちろんありませんでした。でも僕も営業職なので、めちゃくちゃな数字を掲げることは嫌いではないです。どっちみち潰れるのを待つ会社なのであるならば、大風呂敷を広げて失敗しても変わらないですから、それなら上の上を目指すのも悪くないかなとは思いましたね。

Q 小田社長の武器は即断即決にあると思いますが、実際に接していていかがですか。

早いですね、なんでも。僕らが提案する新しいアイデアに対する理解も早いですから、こちらとしてはすごくやりやすいですね。理解が遅いというか、新しいことをするのに慎重な会社だと、事業スピードが落ちると思いますが、小田さんの下だとまずやってみようかという身軽い方針で進められます。基本的には任せてくれますし。しかも知識を仕入れるスピードも尋常でなくて、エネルギー関連事業はルールがいろいろと複雑だったりするのですが、もはや僕よりも詳しくて。最近たまに小田さんの言っていることが理解できないこともあります（笑）。土日に小田さんが資料を作ってくれて、こんなのどうでしょうかって共有してくれることもあります。社長がやってくれるってあまりないですよね。しかも内容がすごく、完成度が高いですから、そういうのは本当に助かります。

Q 小田社長と意見が衝突したことはありますか。

ないですね。そもそも小田さんから指示をもらうということもあまりないですね。僕は入社時に、「結果は気にしますし、事業規模拡大に集中しますけれど、プロセスに口出しされるのは嫌だ」という話をしていて。それをいまだに守ってもらっているのかなと思います。もちろん途中途中で議論することはあります。こちらが言っていることとすべてがマルというわけではないですから。でも意見をねじ込んでくるということはないですね。同じ目線で話してもらえているという気がします。これが社長らしいかというと、賛否あるかもしれませんが（笑）。僕自身、あまり社長と接していると いう気遣いはしていません。むしろ小田さんのほうが気を遣ってくれていますね。僕の性格を理解して、僕のことをよく見ながら、連絡をとってくれているなと感じます。

Q 仮想通貨不正流出事件の際は、小田社長の様子や、事業部内の様子はどうでしたか。

小田さんって、普段は楽天家に近い印象の方ですから、怒ることなんてまずないですし、あまり感情的なところは見せないほうです。でも仮想通貨が流出したときは、初めて苦しんでいるところを目撃しましたね。けっこう病んでいるなとは思いました。いつも大きなことを言っているのですが、それが一瞬なくなりました。昔は「時価総額1000億円」をよく口にしていましたし、達成後に少し時価総額は落ちていますけれど、またすぐに戻すって明言していましたし、到達イメージもあったみたいですけれど。ハッキングによる不正流出があったときはイメージも何もなくなったのだと思います。社員は大小さまざまでしょうが、不安を感じていましたね。大きなお金の絡む話ですから、あれだけ大々的にテレビで取り上げられると、会社の存続は大丈夫なのかと、口には出していませんでしたが、不安な気持ちが空気で伝わりましたね。ビットポイントは仮想通貨の業界のなかでも外部評価が高かったはずですから、まさかとは僕も思いました。でも発生したあとの対応は迅速だったなと。真っ先にお客さまの流出分を確保することを決めていましたし。やはりそこは小田さんのスピード経営ですよね。ああいう判断がすぐできるのはすごいなと、見ていて感じましたね。なかなかほかの人ではできないことだと思います。うちの部署内で、事件のことを気にしている人はもういませんね。みんな前を向いています。

Q 最後に改めて、小田社長の魅力について教えてください。

こちらの提案に対して、理解を示してくれ、即断してくれますから、本当にやりやすい方だなと思います。小田さんの魅力をいちばん感じるのは、全社員に送ってくれるメールですね。重大なリリースがあったときや決算などの近況報告を、小田さんの言葉でメールを送ってくれます。本社以外にいる、普段は小田さんとほとんど接点のない営業所の人間は、メールをよく読んでいますし、親近感がわくみたいです。そういうこまめなところや文面に、小田さんの人柄が溢れています。

第5章

いかなる逆境・変革の嵐でも
逃げずに挑戦することでしか見えない世界がある

天国と地獄を経験して見えてきたもの

すべては山と谷の連続

仕事にしろ、事業にしろ、人生にしろ、良いときもあれば悪いときもあります。

私個人でいえば、事業支援や再生で成果が出て感謝される一方で、思うような成果が出ずに悩んだこともありましたし、詐欺にも遭いました。

リミックスポイントでいえば、中古車査定システム開発をメイン事業としていた頃に大口取引先との契約が切れて、文字どおりのからっぽとなり、そこから電力小売事業を皮切りに挽回を図り、仮想通貨交換事業で大躍進を遂げたものの、仮想通貨の流出事件が生じ、そこから再び這い上がろうとしています。

「人生山あり谷あり」の言葉どおり、誰にでも、どんなことにも、波はあります。つまり、見方を変えれば、たとえどんなに深いどん底を味わっていたとしても、そこは単に谷にいるだけであり、いずれまた再生できるタイミングが訪れるということです。

「レイヤー」を意識しながら波を読む

常に波のなかにいる自分をうまくコントロールするために、私がいつも意識しているのはレイヤー、つまり階層構造です。人にも企業にもこのレイヤーが存在し、何段階かに区切られています。1のレイヤーからスタートし、2、3、4と、レイヤーを1段ずつ高めていくことで、大きな成功や夢の実現へと到達できます。ルールとして、1から5に一気にスキップすることは絶対にできませんし、逆に5から一気に1に落ちることもありません。必ず1段ずつです。

各レイヤーの中身は人それぞれ、マイルールを設定して構築します。あくまで一例ですが、事業を立ち上げたとしたら、事業スタート時は1のレイヤー、売上を立てられたら2のレイヤー、さらに年間の売上や従業員の数などに応じて上のレイヤーをセッティングしていく、といったルール設定でレイヤーを築くことができます。

良い波に乗っているときは、自分のなかのレイヤーを上げるチャンスです。攻めの態勢を崩さず、果敢にチャレンジしていくようにしましょう。当社を例にするなら、事業を幅広く展開して時価総額1000億円を達成するまでは非常に良い波に乗れていて、攻めの姿勢を貫けており、私のなかにあるレイヤーも1段ずつ順調に駆け上がることができていました。

逆に、悪い波に乗っているときは、自分のレイヤーが下がってしまうリスクが待ち受けています。このときに大事なのは、レイヤーが下がらないよう意識して防御をすることです。当社であれば、流出事件はまさにその悪い波の真っ只中であり、とにかく防御に徹し、被害を最小限に抑えることを心掛けました。

レイヤーから外へ出てはいけない

悪い波に乗っているときに絶対にしてはいけないのは、その場しのぎの短絡的で粗末な行動に出たり、つらい状況を投げ出し現実逃避したりすることです。

誰かのせいにしたり、諦めたりした瞬間、レイヤー構造の外に放り出されることになります。放り出されてしまったら、もうレイヤーのなかに戻ることはできません。

要するに、自己保身に走ってはいけないということです。自己保身に走ると、仲間に見放されますし、お客さまや取引先とも縁が切れてしまいます。

自己保身には決してならず、関わるすべての人にとってのベストな選択が何かを考え、また、そのためには、自分がどういった関わり方ができるかを考えることが重要となります。

悪い波のなかにあっても、徹底してこの意識で行動できていれば、いずれ必ず良い波がやってくる兆候を感じることができます。我慢の時期は苦しいことも多々あり、代償も少なからずあるでしょうが、逃げずにいれば、その先にある良い波に確実に出合うことができます。

雨はいつか晴れますし、暗いトンネルはいつか抜けることができます。一時的に下のレイヤーに落ちたとしても、レイヤーのなかにいる限りは、また上向きの波に乗って戻ることができます。天国と地獄、いくつもの経験を経てきたからこそ、この点は断言できます。

事業を進めていくうえでも、社長を続けていくうえでも、そして人生を歩んでいく上でも、私はレイヤーのイメージを大切にしています。

頑張っている人が、より報われる世界にしたい

自分の頑張りを、自分で評価しよう

起業家の支援も、事業再生への取り組みも、そして現在の社長としての仕事も、私が何を原動力にして活動しているかというと、「頑張る人が報われる」ということを当たり前にしていきたいという強い願いがあるからです。

そもそも「頑張る」そして「報われる」という言葉に関しては、意味をはき違えている人が多いように感じます。

未来のために、今を犠牲にしてまで頑張ろうとする人がいますが、これは自らリスクを高める危険な考えで、そもそも頑張るのとらえ方も間違っています。

「頑張る」そして「報われる」というのは、私は初めから終わりまで一貫して「一人称」であっていいと思います。客観的な評価は関係ありません。周りと比較する必要もありません。

一つひとつの課題を克服し、改善し、成長して、結果として何かを成し遂げた自分がい

るのであれば、それは頑張った証であり、そんな自分を自分で評価し報いてあげることが、何より大切なのです。

ある経営者仲間が、「自分は頑張っているのに報われない」と嘆いていました。彼は、会社の経営を安定・成長させていて、社員もたくさん抱えていました。私から見れば、顧客から感謝されていますし、社会にも貢献できていますし、十分に頑張った結果が出ていると思いました。しかし彼は「自分よりももっと結果を出せている企業がたくさんある、だから報われていない」と言うのです。私は「自分がうまくいっていないとか、成功していないとか、そんな考えは止めたほうがいいよ」と助言しました。「では、どう考えればいい？」と聞かれたので、続けて私はこう言いました。「もっと成功している人がいる一方で、もっとうまくいっていない人もいるのだから、周りとの比較なんて意味がない。今の自分を、自分できちんと認めて、報いてあげないといけないよ」

「報われる」というのは、経済的に豊かになるとか社会的な地位を得るというだけではなく、個人として成長することや社員や家族といった周りの人を幸せにする、自分自身で達成感を得るといったことも含まれると思っています。小さなことでもいいので、まずは自分の頑張りで得たものを自分自身で認めてあげることが何よりも大事なことだと考えています。

このアドバイスが、彼の心にどれだけ響いたかわかりませんが、同じような愚痴をこぼすことはなくなりました。

夢中になれればいつでも幸せ

現在の自分に満足せず、常に上を目指すことも大切な考え方です。しかし、今ある価値を受け止めたうえで頑張っていかないと、仮に何年かあとに大きな対価を得られたとしても、そこで満足せずさらに上を求め続けることになり、いつまでも自分に報いることのできない、虚しく苦しい人生を送ることになってしまいます。そういう人が世の中に多くいるのを現実として知っています。

ここまでこられた自分の現在地を認め、報いてあげながら、さらに上を目指す。この繰り返しを心掛けることで、我慢や苦難をほとんど経験することなく、いつも幸せと感じられる人生を実現できるのです。

そして私が常々感じるのは、その頑張りというものが、なるべく夢中になれるものでありたいということです。

楽しく登り続けて、気がついたら山頂に到達していた、くらいの頑張りがいちばんだと思っています。そして忘れずに、頂上に着いたことを評価し、自分に報いてあげれば、いつも夢中で幸せな人生になるわけです。

そういう人が増えてくれるよう、さらには頑張る人がより報われる世界になるよう、彼らと並走するかたちで、夢中になって頑張ってもらえる環境を用意することが、私のもっている価値であり、人生最大のミッションなのです。

社会起業家のジレンマ

「頑張る人が報われる世の中にしていきたい」という観点で、日本国内での社会問題解決への取り組みについても触れておきましょう。

ITバブル崩壊後の2001年、私が学生をしながら事業アドバイスにも携わっていた頃、若者たちのなかで「お金を儲けることが本当に正しいのか」という思想が広がっていました。この時期を境にして、莫大な収益を出すことや上場することを目的とするのではなく、社会問題の解決を志す「社会起業家」が増え始めました。

私自身、事業を法人化した際の商号は「ソーシャルベンチャーキャピタルアソシエーション」であり、まさしく社会起業家を支援するための会社でした。

当時、社会起業家に対しては「社会にとっていいことをしている企業」程度の漠然とした概念しかなく、なかなか理解してもらえないもどかしさがありました。

社会起業家は、事業による収益基盤が不安定なことが多いために自分たちが進めている社会問題解決のための事業をアピールして資金を集めようと、講演会やイベント開催に時間を割いています。そのために、社会問題解決のための具体的な活動に専念することができない、というジレンマを抱えていて、これが大きな課題となっています。

組織内部で「うちの代表は、社会問題解決ではなく、自分が有名になることに躍起になっている」と陰口を言われてしまってはなおさら最悪です。組織全体のモチベーションダウンにつながり、関係者の気持ちのすれ違いが続いたまま、活動が暗礁に乗り上げてしまうこともしばしば問題の根源となっています。

要するに、利益追求ではなく、社会問題解決に夢中になって取り組みたい人たちを、資金面で潤滑に支援する仕組みができていないために、こういった悩みが点在しており、結果的に社会問題解決の取り組みがまったく進んでいないように見られてしまっているのです。

社会問題解決の近道

日本の財団による助成金は存在するものの、上限は多くてもせいぜい年間500万円程度であり、しかも複数年度にわたる支援ができず、寄付金は人件費に使ってはいけないという縛りがあったりします。

社会問題の解決は1年で終わるものではないですし、多くの団体にとって最も大きな負担となる支出は人件費です。ここに支援する側と支援される側の大きな隔たりがあると感じています。

私個人としては、2002年から社会起業家支援活動を開始し、当時は社会起業家という概念を認知させようという活動をしていました。しかし、海外では社会起業家の存在価値は認知されつつありましたが、国内ではなかなか理解が得られませんでした。そこで、彼ら社会起業家の頑張りが十分に報われるよう、社会起業家の成功例をつくって認知度を高めることに方針を変え、これまでいくつかの支援に挑戦してきました。

一例を挙げると「かものはしプロジェクト」という活動は、カンボジアでの児童売春・人身売買を、事業を通じて解決するという取り組みから始まりました。児童売春から救済した女性にITトレーニングを行い、仕事を提供したり、あるいは生活に困っている親たちに職業訓練を行ったりして、子どもを売らなくても生活できる環境をつくりました。

一方で、現地の政府などと協力して売春を行う犯罪組織の摘発強化を行い、カンボジアにおける児童売春を劇的に減らすことに成功しました。かものはしプロジェクトは国内でも数多くの表彰を受け、社会起業家の象徴の一つとなっています。

このような前例ができていくことにより、日本でも社会起業家に対する理解が深まっていき、現在は社会起業家とは何かを説明しなくても、その存在が認知されるようになってきました。

社会問題を、事業を通じて継続的そして発展的に解決していく存在として、社会起業家の存在価値がますます高まっていきます。

また、社会起業家の活躍によって、既存の企業経営者も自社の利益だけでなく、社会問題解決で存在価値を発揮することで、初めて企業として存続していけると考えるようになり、いい意味で相互の価値を高め合っていけるようになると見込んでいます。

リミックスポイントもこの視点を大切にし、社内外に浸透させることも重視しながら、感染症対策事業を筆頭に、今後も社会問題解決につながる事業展開を進めていく方針です。

2001年以降から増えてきた社会起業家たちの火を消さないためにも、資金や人材、あるいはアイデアやノウハウも含めて、さまざまな角度からサポートしていくことが、頑張る人たちが報われる世界の創出、さらには、大げさではなく世界平和の実現への近道だと信じています。

今後、社会問題解決へ取り組む人たちの熱意をさらに知ってもらい、支援制度が見直され、より社会起業家が事業だけに夢中になれる環境になるよう、個人や会社の枠組みを問わず、支援の活動を広げていきます。

本当の意味での「成長」を感じられる企業へ

リミックスポイントが目指す姿は、まさしく頑張る人が報われ、いつも幸せを感じてもらえる企業です。

「魔法の会社」では幸せになれない

私はかつて新人研修のなかで「魔法の会社」という話をよくしていました。

魔法の会社は、遅刻しても怒られないし、早く帰っても怒られないし、何もしなくても給料は増えていき、自然とボーナスも上がっていきます。

果たして、そのような魔法の会社は、働いていて幸せでしょうか。

私は幸せではないと思います。なぜなら、そこには成長がなく、達成感もなく、何よりもその人が会社や社会に対して価値を提供する必要がなくなってしまっているためです。

リミックスポイントは、魔法の会社ではありませんが、会社にとっても社員にとっても、本当の意味での成長を感じられる企業です。関わってくれる人には、夢中になって自分がやりたいことに取り組んでもらえるよう、働きやすい環境づくりを徹底しています。そのような体制こそが、成長でき、結果を出せ、幸せだと感じられる場所だと思っています。

会社にとっての成長とは、ただ収益が出るだけのことではありません。

売上が伸び続けている会社は、膨張こそしていても、成長できていないことが多々あります。過重労働を強いて無理に売上を伸ばしたり、未来への投資にお金をかけたりせず既存のものだけで規模を広げようとしているところは、成長できていない膨張一途の会社です。

成長できていないということは、会社の基盤部分から強くなれているわけではないので、関わっているすべての人が、いつも、いつまでも、幸せでいられるとは限らないのです。

当社グループも、業績を伸ばしていくことを第一の目標としていますが、それが膨張にならないよう十分に配慮しています。社員が成長を感じ幸せでいられる場所を目指すとともに、会社も、さまざまな事業へ積極的に展開を進めていき、成長させていきます。そして、収益性が高まるにつれ、関わってくれた人、社員や取引先、株主の方々への還元も、増やしていける企業であり続けたいと願っています。

リミックスポイントの究極ビジョン

もう一つ、成長の意味で当社グループが目指していきたいのは、前述した社会起業家支援の活動です。

収益の一部を社会起業家の支援へ回すことで、社会問題の解決を行っている企業にも成長してもらう仕組みづくりを考えています。実際にリミックスでんきでは、収益の一部を社会還元として継続的にＮＰＯや社会起業家への活動資金に回す取り組みを２０１６年１月から実施しています。電力小売事業という継続的な収益が期待される事業は、その一部を社会還元したいという思いで始めました。

もちろん、収益を上げる前提での、社会起業家への支援です。当社が資金を工面し、社会起業家の事業が軌道に乗ってきたら、一部をこちらへ還元してもらう、という関係を目指すことになります。

このような、社会の問題を解決する人や組織への支援の取り組みとしては、海外の財団がすでにたくさんの実績を残しています。財団がお金を運用して利益を出し、それを寄付するという仕組みです。将来的にはこのような財団を結成するのも私がやりたいことの一つでしたが、同じことは会社のなかでも実現できると感じています。単に寄付するだけでなく、私が得意としている、お金集めや仲間集めのノウハウも駆使して、またリミックスポイントのもっている事業の強みも活かせるところは活かして、社会問題解決を頑張っている人への支援を行い、双方にとって価値のある成長につなげていきたいです。これは私にとっての、そしてリミックスポイントにとっての、究極のビジョンなのです。

「あしたを、もっと、あたらしく。」に込めた思い

復旧中にキャッチコピーとロゴを変えた理由

2019年12月、リミックスポイントの子会社で、仮想通貨取引所「ビットポイント」を運営するビットポイントジャパンは、コーポレートメッセージを刷新しました。

そのコーポレートメッセージとは、「あしたを、もっと、あたらしく。」です。同時に、

ロゴのイラストやホームページもリニューアルしました。

当時は仮想通貨不正流出事件が発生して半年も経っていない頃であり、サービス再開に向けて復旧作業を急いでいる段階でした。そんななかでの、イメージサイドのリニューアル案に、現場からは「復旧でたいへんなときに、やっている余裕なんてない」という意見もたくさん寄せられました。もっとリアルに言うと、私以外のほぼ全員が、反対の意向だったと思います。

普段であれば現場には口を出さないのですが、この点に関してはそれでもなお私は譲らず、リニューアル案を推し進めました。このタイミングでやることこそが、大きな意味をもつと感じていたからです。

このときのビットポイントジャパンの雰囲気は決していいものではありませんでした。復旧に向けて一進一退の攻防を続けている段階であり、いわば「スタートラインに立つための準備」をしている状況で、成果や喜びを分かちあえるようなことができていませんでした。

経営的に見れば、売上はないに等しく、会社も社員も消耗していくばかりでした。このままではモチベーションが保てないと感じた私は、彼らの後ろ向き加減なマインドを、未来を見据えたマインドへと切り替えるため、リニューアルにも時間を割けるように行程を見直したのです。

「あしたを、もっと、あたらしく。」には次のような想いが込められています。

「未来を変えていくには、一つひとつできることに取り組んでいくことが重要。毎日毎日、一つひとつ新しいことをしていくことで、結果的に未来が変わっていく」

「未来は変わるものではなく、自分たちで創り出していくもの。ただ時間が経つのを受動的に待つのではなく、自分たちで変化を生み出していきたい」

「ビットポイントだから提供できる価値を提供していきたい」

急に未来が変わることなどありません。ただし、日々変えていくことを意識し、そのためにコツコツと取り組んでいくことで、その積み重ねの結果として、やりたかったことがきっと実現できるようになります。当時の私たち、そしてこれからの当社にとって必要な想いが、このメッセージには込められています。

再生は、内面をプラスに変えることから始まる

マイナスからゼロの状態へ、そしてゼロからプラスの状態にすることで、初めて再生は成し遂げられたことになります。

流出事件のあと、ビットポイントジャパンの社員の多くが、マイナスからゼロにすることだけに意識を向けてしまっていました。しかしこれでは、プラスの未来を見据えていないため、たとえゼロまで到達できても、そこから先へ突き抜けるパワーが残っていません。ゼロにしていく勢いを借りたまま、プラスへもっていく意識が、再生には必要なのです。

私としては、優先順位がそれほど高くないリニューアルこそが、このプラスの未来を見据えたミッションだと感じました。

復旧後ではなく、復旧中にやることに意味があると思っていました。

これは過去の経験や理屈によるものではなく、私のなかにある譲り難いインスピレーションに従った判断でした。

「小田さんは現場のことをまったくわかっていない」という批判に抗って、復旧中にリニューアルをやり遂げたことで、当社の未来は風向きが変わったと、はっきり言いきるこ

とができます。

目先の課題に意識が向かうなかで、視野を高く広くし、明日をさらに新しくしていき、さらにその先に待つすばらしい未来を見据えることで、刻一刻と変わっていく今に、大きな意味を見いだせるはずです。頑張っている今が、すばらしい未来につながっていることを、感じ取ることができるはずです。

そして、頑張る自分を評価し、報いる瞬間を得られることができたのであれば、もう再生は、成功したに等しいのです。

おわりに

「日本でも再チャレンジが当たり前にできるようにしていきたい」

そう思い、事業再生を手掛けるようになったのは、東日本大震災を通じてでした。

被災し、望まないかたちで生活や仕事環境を変えることになった方が多くいらっしゃいます。起業家や経営者にとっても甚大な影響があり、多くの前提が変わってしまい、自己破産や民事再生をする人があとを絶ちませんでした。

私自身が問題意識を強くもったのは、こうした自己破産や民事再生を余儀なくされた経営者に対して、世間の風当たりがたいへん厳しかったことです。

これまで多くの雇用をつくり、責任をもって事業で社会に貢献していた方に対して、会社を破産させたことへの非難や叱責が多く寄せられ、またその後の生活を支えるシステムが乏しいという現実を目の当たりにしました。

経営にも波があります。時代にマッチして波に乗れるときもあれば、震災のような思わぬ事態と遭遇し、一気にどん底へ落ちることもあります。どんなに優秀な経営者であっても、たった一つの失敗やトラブルによって、会社を倒産させてしまうことはあり得ることなのです。

しかし、そこで経営者としての人生を終わりにしてしまうことは、その人にとっても、社会全体にとっても、非常にもったいないと思います。彼らの前傾姿勢なチャレンジ精神があるからこそ、新しい雇用が出来上がり、新たなアイデアやイノベーションが誕生し、人も社会も成長していくのですから、彼らに再起のチャンスを与えることが何より重要なのではないでしょうか。

ですから、頑張る人が必ず報われる、再チャレンジができて当たり前の社会になることが、日本の将来のためになると思い、事業再生に関わっていくことを決めました。

私がリミックスポイントの事業再生に力を注いだのも、「ここが再生できなければ、再チャレンジができて当たり前の日本などつくれるわけがない」という思いからでした。

再スタートの皮切りとして、規制緩和・改革や法令改正の行われた、大手もベンチャーも一斉に「よーいドン」の領域で勝負をかけ、社会に貢献できるまでの再生を遂げることができました。もちろん失敗もたくさん経験しましたが、その失敗を小さく抑え、教訓とし、成功確率を地道に上げてきたからこそ、今のリミックスポイントがあります。

今後もこのスタイルを崩さず、私自身は社長らしくない「とりあえずやってみよう」の精神で、周りから見ると放任主義なやり方で、事業の成長に関わっていく所存です。

いつか社長を誰かに譲るときがきたあとも、リミックスポイントとは関わり合いを続けていき、私のもつ価値を提供し続け、社会問題の解決に取り組んでいきたいと思います。そして、関わった人たちの頑張りが報われ、幸せの多い人生を歩んでもらえたら、経営者として、事業再生人として、これ以上のことはありません。

この本をきっかけに、リミックスポイントや私の考え方を知ってくださった方にも、頑張りの報われる幸せな人生が待っていることを願って、筆をおきます。末筆ながら、本書の出版に際してご尽力いただいた皆さまにはたいへんお世話になりました。ありがとうございました。

【著者プロフィール】

小田玄紀（おだ げんき）

株式会社リミックスポイント代表取締役社長CEO
株式会社ビットポイントジャパン代表取締役
1980年生まれ。東京大学法学部卒業。大学在籍時に起業し、のちに事業を売却した資金を元にマッキンゼー・アンド・カンパニー出身者らとともに投資活動を始める。「頑張る人が報われる」をコンセプトにして起業家や社会起業家の事業立ち上げ・経営支援を行う。2002年より当時はまだ珍しかったスタートアップベンチャー支援を手掛ける。2011年の東日本大震災を契機に、「日本でも再チャレンジを当たり前にしたい」という思いから事業再生を開始する。この一環で要請を受けリミックスポイントの社外取締役に就任。エネルギー関連事業や仮想通貨交換業や旅行関連事業、感染症対策事業などを立ち上げて2016年同社代表取締役に就任。また、同年３月には上場企業子会社としては日本初の仮想通貨取引所であるビットポイントを立ち上げ、同社代表取締役に就任する。取締役就任時には４億円だった時価総額を2018年には1000億円にまで向上させた。2018年に紺綬褒章を受章。2019年には世界経済フォーラムよりYoung Global Leadersに選ばれる。

本書についての
ご意見・ご感想はコチラ

再生　逆境からのスタートと不祥事勃発――
それでも私がリミックスポイントの社長であり続ける理由

2021年5月30日　第1刷発行

著　者　　小田玄紀
発行人　　久保田貴幸

発行元　　株式会社 幻冬舎メディアコンサルティング
〒151-0051　東京都渋谷区千駄ヶ谷4-9-7
電話　03-5411-6440（編集）

発売元　　株式会社 幻冬舎
〒151-0051　東京都渋谷区千駄ヶ谷4-9-7
電話　03-5411-6222（営業）

印刷・製本　瞬報社写真印刷株式会社
装　丁　　田口美希

検印廃止

Printed in Japan
ISBN 978-4-344-93255-5 C0034
幻冬舎メディアコンサルティングHP
http://www.gentosha-mc.com/